O'r Lôn i Fôn

Bywyd a Gwaith
Emlyn Richards

Gwasg
Gwynedd

Argraffiad Cyntaf — Tachwedd 2006

ISBN 0 86074 236 9

Mae'r cyhoeddwyr yn cydnabod cefnogaeth ariannol
Cyngor Llyfrau Cymru.

*Cyhoeddwyd ac argraffwyd
gan Wasg Gwynedd, Caernarfon*

I DDAU – FY RHIENI
I DDWY – DORA A RUTH

Cynnwys

HUNANGOFIANT

Pan Oeddwn Fachgen

Fu gen i erioed rhyw lawer i'w ddweud wrth seintiau, na'r dathliadau a gysylltir â'u geni a'u marw, ond fe'm clymwyd o'm hanfodd er y dydd y deuthum i'r byd yma wrth un hen sant pabyddol Seisnig, gan i mi, trwy ryw amryfusedd, gael fy ngeni ar y pymthegfed o Orffennaf – dydd gŵyl Sant Swithin!

Doedd gan yr un sant na seraff unrhyw ddylanwad ar y *man* y'm ganwyd. Fe enid pob babi bach adra bryd hynny, mewn gwely plu mawr ac esmwyth. Safai Llidiart Gwyn, y cartra, ar y ffordd gul honno rhwng hen eglwys Mellteyrn a Phlas Cefnamwlch yn Llŷn, y ddau le o gryn bwysigrwydd hanesyddol. Mae eglwys Sant Pedr mewn Cadwynau, Llan Mellteyrn ('Meillteyrn' ydi'r ynganiad yn lleol), yn tarddu o gyfnod y Normaniaid ac mae'n un o eglwysi mwyaf nodedig Llŷn. Cyflwynwyd ffenestr ddwyreiniol yr eglwys er coffadwriaeth i'r Esgob Henry Rowlands, a oedd yn enedigol o Sarn Mellteyrn; casglodd y gŵr hwnnw gyfoeth enfawr a gadael arian yn ei ewyllys tuag at sefydlu a chynnal ysgol ramadeg rad yn ei hen fro, a thrwy ei haelioni o y codwyd yr Ysgol Botwnnog wreiddiol tua 1618. Ond tipyn o flas sgandal sydd yna ar hanes hen deulu Cefnamwlch. Âi Howell Harris ar ei deithiau yng nghwmni Madam Sidney Griffith, proffwydes y Diwygiad Methodistaidd yng Nghymru, a gwraig yr yswain meddw o Gefnamwlch.

Tyddyn bychan iawn o dri llain oedd Llidiart Gwyn, yn perthyn i stad Cefnamwlch. Cwta hanner erw yr un oedd mesur y tri llain – digon, efo gofal, i gadw buwch a llo nes y deuai llo arall. Roedd yno gwt malu, beudy a thŷ gwair. Roedd y tŷ ei hun yn rhyfeddol o gyfyng – llawr a siambar a bwtri di-ffenest. Uwchben y siambar roedd y daflod, gyda rhimyn cul yn gwahanu dau wely sengl.

Cartra Nhad oedd Llidiart Gwyn, a bu'n gartra i'w dad a'i daid o'i flaen. Teulu o helwyr oeddynt, y ddau daid yn dyrchwyr a Nhad yn gwningwr. Dysgwyd ninnau'r plant er yn ifanc i ddal twrch daear ac adnabod llwybr cwningen, a medrem flingo'r twrch a'i hoelio ar bren. Byddai raid wrth gyllell finiog a stumog cryf i'w flingo hefyd.

Mae'n debyg mai dau brif enw oedd yna yn nheulu Nhad, sef Richard ac Evan, a byddid yn cyfnewid yr enwau o genhedlaeth i genhedlaeth yn ôl arfer yr oes. Roedd Evan Richards, y taid, yn aderyn brith iawn yn ei ieuenctid ond fe'i hachubwyd dan gyfaredd pregeth John Elias o Fôn yn nhref Pwllheli, yn ôl adroddiad yn *Trysorfa'r Plant*, 1909–11. Dyma fo, am ei werth:

> Flynyddoedd yn ôl adroddwyd i mi gan hen ŵr diamheuol dduwiol o'r enw Evan Richards, Llidiart Gwyn (Sarn Meillteyrn), yn Lleyn: yn y flwyddyn 1840 aethai i Gymanfa Pwllheli yn fachgen o ddeunaw i ugain oed. Roedd mor ddifeddwl am grefydd, ei unig amcan yn mynd i Ŵyl Fawr y Cymod ydoedd porthi blysiau cnawdol. Cyrhaeddodd y dref erbyn yr oedfa ddeg ar y maes, lle'r oedd y miloedd wedi ymgasglu, a sicrhaodd iddo ei hun y lle mwyaf manteisiol a allasai ei gael, sef yn ymyl colofn oedd yn dal y llwyfan i fyny, er cyrraedd ei amcanion, sef tynnu sylw y merched, cellwair a gwamalu. Ni chafodd y gwasanaeth dechreuol, sef y canu, y darllen a'r gweddïo, unrhyw sylw ganddo, ac ni ddarfu gymaint â chodi ei olygon i fyny i edrych ar y pregethwr cyntaf ac nid oedd yn cofio dim a ddywedodd. Wedi iddo ddiweddu pregethu, mae Richards yn gweld pawb yn rhythu edrych i fyny ac mae yntau yn anghofio ei hunan am funud ac yn edrych ar y pregethwr, 'A'r foment y gwelais ef,' meddai, 'dyma ryw deimlad yn fy meddiannu fel pe rhedai dŵr oer trwy fy holl gyfansoddiad a methais â thynnu fy llygaid oddi ar y pregethwr hwnnw nes oedd y bregeth drosodd, ac ni chefais funud o dawelwch i'm meddwl na'r un a glywais er

hynny.' Yna bloeddiai â'i holl egni y testun, 'Fel na choller pwy bynnag a gredo ynddo Ef' a'i ddagrau'n rhedeg – 'Oh, John Elias annwyl,' meddai.

Pwy fyddai'n credu y byddwn i, gor-ŵyr i'r Evan Richards hwnnw, ymhen cant a thrigain o flynyddoedd yn weinidog yn nhiriogaeth John Elias yng ngogledd Môn? A phetai hi'n dod i hynny, mi fu'r gor-ŵyr hwnnw hefyd – fel ei hen daid – ym Mhwllheli laweroedd o weithiau yn tynnu sylw'r merched. Doedd John Elias ddim yno erbyn hynny!

Bu dylanwad y profiad angerddol yma a gafodd Evan Richards yn rym ym mywyd dau o'i feibion. Symudodd Richard Evans i Fôn a chartrefu yn Nwyran, ac yn ddiweddarach yn Llangaffo. Bu ef ac Evan, ei fab, yn gefnogwyr selog y ffydd Galfinaidd ym Môn, a bu Daniel, y mab ieuengaf – fy nhaid – yn flaenor digon cul efo'r Methodistiaid yn Sarn Mellteyrn.

Eglwyswyr selog, ym Mryncroes, oedd teulu fy mam. Hanai ei thaid, Henry Jones, o Ynys Enlli; daeth ei deulu trosodd i'r 'tir mawr' a chartrefu ym Mhen-y-bont, Llangwnnadl. Priododd Henry ag Ann, merch o Langwnnadl. Roedd hi o bryd Sbaenes a'i chroen yn hynod o dywyll a'i gwallt yn annaturiol o ddu. Symudodd y ddau ar eu priodas i fyw yn Nhy'n Llan, dros y ffordd i eglwys y plwyf. Mae'n amlwg bod tad Henry Jones yn ymddiddori mewn canu; mae rhai o'i gopïau cerddorol ar gael a chadw gan rai o'r teulu o hyd. Mae'n debyg i Harri, fy mrawd, etifeddu ei ddawn fel baledwr gan ei hen daid.

O Lidiart Gwyn yr euthum i'r ysgol am y waith gyntaf – mynd 'dros y nyth' i'r byd mawr, heb Mam na'r dresal. Doedd yna ddim ysgol feithrin erstalwm, ac o ganlyniad dau gymhwyster a feddwn wedi cyrraedd pump oed: cerdded a siarad. Doedd gen i fawr o grap ar rifyddeg – ac eithrio cyfrif i dri, am y byddai Mam wedi fy nysgu fel hyn:

Un, dau, tri, Mam yn dal y pry;
Pry wedi marw, Mam yn crio'n arw.

Ond doedd gen i ofn neb am siarad. Mi oedd gennym gymydog clên, hoff o blant, ac er ei fod yn ffermwr prysur byddai gan Griffith Williams, Treigwm, amser ac amynedd i siarad efo plant bach. Rwy'n dal i gofio swyn ei lais. Prin y bu actor â gwell wyneb na'r cymydog hwn, ac mi ddysgais ambell bill ganddo yntau dros glawdd y llain:

Dacw Mam yn dŵad
Dros y gamfa wen,
Menyn yn ei ffedog
A phiser ar ei phen.

Nid rhyfedd yn y byd i lais ei nai, John Roberts Williams, swyno'r genedl â'i homilïau ar foreau Sadwrn.

Galwai Wil Bwtsiar ar bnawn Gwener, yntau yn gwneud sylw mawr ohonom ni'r plant ac yn ffurfio deialog ddifyr. Y fo yn siŵr oedd y dyn cyfoethoca yn y wlad: byddai ganddo fag lledr â'i lond o arian, a gwnâi sŵn mawr pan fyddai'n trochi'r arian wrth chwilio am newid i Mam. Yna caem ni'r plant ei hebrwng at giât y lôn, a chael cip ar ei fan fach ddu a llun pen tarw ar ei hochr. Ar noson arall galwai Wil John Wya. Dyma lond tŷ o ddyn, er mai un bach byrdew oedd o. Fu erioed fwy o sŵn gan ddyn, choelia i byth. Roedd ganddo yntau lawer iawn o arian er ei fod yn gadael dyrnaid ohonynt i Mam ar y bwrdd. Ar y llaw arall, dyn tawel iawn oedd Richard Jones y glo. Roedd cyn dduad â'r gadwan a'i ddannedd yn *glaer* wyn. Mi fyddai'n taro'i fys du ar flaen trwyn un ohonom bob tro gan ddweud, 'Dos i molchi'r mochyn bach!'

Mi ddeuai Nain yn ei thro, wedi cerdded o Fryncroes draw, ac fe ddeuai rhyw ferched neis eraill hefyd a Mam yn gwneud te iddyn nhw, ac yn rhoi lliain gwyn mawr dros y bwrdd. Dim ond pan ddeuai'r merched hyn, a Nain, y rhoddai Mam liain ar y bwrdd – pam, tybed?

A dyna hi'r 'ysgol feithrin' a gefais i – dim ond gwrando ar hen bobol yn siarad.

Ac yma yn gynnar ym Mhenrhyn Llŷn
Y clywais acenion fy iaith fy hun.

Yn llaw Daniel, fy mrawd hynaf, yr es i i'r ysgol bach am y tro cynta. Mi oedd y daith yn faith ac yn flin ond roedd yna dyrfa fawr o blant, wedi dod o fythynnod a thyddynnod pen pella Nant yr Henllyn: plant Ffridd Goch, Ffridd Wen, Caerdydd, Treigwm a'r Nyth. Welais i erioed gynifer o blant, ac wedi cyrraedd yr ysgol mi roedd yno fwy eto yn fanno.

O'r pymtheg neu fwy ohonom oedd yn cydgerdded i'r ysgol, Ellis Vaughan oedd fy newis ohonynt i gyd. O ganlyniad i'r ffitiau cyson a gâi Ellis roedd ychydig o nam arno, ond y fo oedd fy arwr i. Ar y lôn gul â'i chloddiau uchel y cerddai'r criw yn un llinyn blêr, swnllyd, ac Ellis a minnau'n olaf o ddigon. Dangosodd i mi bob nyth aderyn a sawl neidr yn y cloddiau pridd o boptu inni, ac mi ddwedodd pe baem ni'n digio'r aderyn neu pe bai'r neidr yn deffro'n sydyn ac yn ein brathu, y byddem farw erbyn y bore. Mi oedd gen i ofn marw! Cyrraedd at borth Eglwys Llan Mellteyrn – giât haearn fawr uchel rhwng dau gilbost cerrig glas, hardd, o chwarel Tŷ Engan. 'Pobol wedi marw sydd yn fan'na,' meddai Ellis eto, a dyna achos digonol inni groesi'r lôn a cherdded yr ochr arall i'r ffordd heibio'r Llan.

Wedyn âi'r confoi swnllyd i lawr Lôn Winllan yn dalog, a heibio i weithdy'r crydd – dyn ffeind gynddeiriog a siaradwr diddan hefo ni'r plant. Holai dros ei sbectol pan fyddem ni'n rhythu wrth y drws:

'Ydi dy bedol a dy glem di'n rhydd?'

'Maen nhw'n iawn, diolch, Llew Jones.'

'Wel, mae dy *dafod* di'n ddigon rhydd,' meddai yntau.

Ymlaen â ni heibio i Felin Mellteyrn. Yma y ganwyd John Williams a fu'n cadw Ysgol Gerdd hyd y wlad, ac a gafodd y llysenw Siôn Singar. Ef yw awdur yr emyn a'r dôn, 'Beth yw'r utgorn glywa i'n seinio?'

Ar hyn dyna gloch yr ysgol yn galw, a ninnau'n dyhefod fel defaid i fyny'r Graig Las – coblyn o hen allt gïaidd. Soser o le ydi Sarn. Miss Jones oedd titshiar y plant bach – dynes fach dew ac annwyl. Eisteddai ar gadair fawr uchel yn pwyso ei dau benelin ar ddesg uchel. *Wel* mi oedd hi'n un dda am ddweud stori. Caem hanes Siôn Blewyn Coch a Siân Slei Bach trwy'r pnawn. Fyddem ni fawr o dro yn cartrefu'r teulu bach ar lethrau mynydd Cefnamwlch. Roeddem ni'n nabod y ddau mor dda – gwelais Siôn a Siân sawl gwaith ar fy ffordd o'r ysgol, ond nid oedd modd gwahaniaethu rhyngddyn nhw gan eu bod yn gwisgo'r un dillad â'i gilydd yn union. Ond buan iawn y synhwyrais fod yna fwy i'r ysgol na stori Siôn Blewyn Coch a'i deulu. Ymdrechodd Miss Jones yn ddyfal i'm perswadio at bynciau eraill ond bu'n dra aflwyddiannus.

Er na chaem ni'r plant mo'n cario'n ôl a blaen i'r ysgol mewn bysys yn yr oes honno, eto byddai Ellis Vaughan yn dreifio bỳs bob cam adra a minnau'n gondyctyr. Arwr pennaf Ellis fyddai Griffith Griffiths, dreifar go iawn y bỳs a redai rhwng Pwllheli ac Aberdaron. Byddai Ellis Vaughan yn llusgo'i draed yn swnllyd ac yn gwneud sŵn bỳs Griffith Griffiths, gan lyfeirio ewyn gwyn i lawr ei jersi. Byddwn innau'n cydio'n sownd yng nghwt y jersi. Stopiai Ellis yn sydyn weithiau a chodi ei ddwy law gan weiddi, 'Pam na chadwith pobol 'u defaid o'r lôn yma? Go damia!' Welwn i'r un ddafad yn unman, ond os oedd Ellis Vaughan yn deud, mae'n rhaid eu bod nhw yna! Rydw i'n cofio i Ellis druan gael coblyn o ffit unwaith a disgyn i'r clawdd, a minnau wedi dychryn ac yn credu'n siŵr ei fod o wedi marw. Rydw i'n cofio'n dda hefyd gweld Morris, ei frawd, yn penlinio yn y ffos wrth berswadio Ellis i gymryd llwnc o lefrith yr oedd o wedi'i gadw ers canol dydd, rhag ofn. Toc, dyma Ellis yn codi o'r clawdd a golwg arno fel pe bai ar goll. Ddaru ni ddim chwarae bỳs wedyn weddill y daith, a diolch byth mi ddeudodd Ellis, 'Paid â crio, tydw i ddim am farw.'

Mi fûm i yn Ysgol Sarn Mellteyrn am flwyddyn gron, a chystal imi gydnabod na ddysgais i ddim yno. Mae'n amlwg mai fy mai i oedd hynny, achos mi ddeudodd Miss Jones wrth Mam, 'Tydio'n dysgu dim ac mae o'n rhwystr i'r plant eraill ddysgu – mae o'n siarad yn ddi-daw!'

Doedd gen i ddim byd i'w roi ar fy CV ar derfyn y flwyddyn, ac eithrio un drosedd fawr. Un canol dydd mi ddwedodd Mair, fy chwaer, a Jane Elin (Siân) Crindir wrtha i am fwyta'r frechdan yn reit sydyn a llyncu'r llefrith yn ddiymdroi. 'Mi rwyt ti'n dŵad efo ni'n dwy am dro.' Mi synnais at y gwahoddiad gan na chawswn fynd o diriogaeth yr ysgol efo nhw o'r blaen. Siân oedd ar y blaen a'i phen i fyny a'i gwallt llaes du yn gorchuddio'i chefn, a Mair yn mân redeg wrth ei hochor. Thorrodd neb yr un gair nes cyrraedd at gwt mochyn yn nhalcen y Post. 'Tyd yma i ni gael dy godi i ben y cwt yma,' meddai Siân Crindir. Rhoes y ddwy law dan fy ngheseiliau a chydio yn nhin fy nhrowsus a dyna fi i ben y to slip. Roedd canghennau hirion y coed afalau fel pe baent yn estyn afalau mawr melyn i'm cyfarfod. Estynnais yr afalau i'r ddwy ladrones a'u cymerodd yn ddiddiolch. Pan ddois i lawr, gyda help y ddwy, sylwais nad oedd yr un o'r afalau ganddynt a holais yn betrus amdanynt. 'Mae Mair a finna wedi'u rhoi nhw yn ein blwmars – mae 'na lastig yn eu coesa,' meddai Siân yn swta. Synnais i ddim at hynny: wedi'r cwbwl, tydi blwmars yn ddim ond trowsus g'nethod i hogyn chwech oed, a pheth arall – does yna ddim pocedi yn eu ffrogia nhw! Bu Siân Crindir yn ddigon o enjinîar i gadw'r drosedd rhag staff a phlant yr ysgol a phawb arall. Wel, pawb ond Wil Bwtsiar . . .

Mae'n debyg mai genedigaeth Harri 'mrawd a orfododd y teulu i symud o Lidiart Gwyn. Pan anwyd Harri bu'n rhaid i mi symud i'r daflod fechan, a bellach roedd pedwar ohonom yn rhannu dau wely sengl cul – Daniel, Robin,

Mair a minnau. Pe digwyddai i fabi arall gyrraedd mi fyddai'r trefniant cysgu'n ddigon smala. Ond fe lwyddodd Siôn Corn i ddod atom yn flynyddol. Pa fodd y daeth? Nis gwn, ni fynnwn wybod chwaith.

Mi ddeudodd Mair wrtha i yn ddistaw un noson, 'Rho dy ben dan dillad, mi rydw i isio deud rwbath pwysig wrthat ti.' Yno yn y tywyllwch y torrwyd y newydd trist i mi ein bod ni am fudo i dŷ newydd yn bell, bell i ffwrdd. Gadael Ellis Vaughan a'i fŷs, gadael Llain Ucha a Llain Isa. Gadael y cwbwl.

Aiff diwrnod y mudo byth yn angof gen i. Symud y disyflyd! Symud y dresal a oedd yn rhan mor annatod o'r tŷ. Fyddai wiw cyffwrdd bron yn y dodrefnyn yma. Roedd holl drysorau'r teulu yn nhair drôr hon, a châi neb ond Mam agor y drôr agosa at y tân. Roedd holl gyfrinachau'r teulu ynddi; yn wir, roedd ei phreifatrwydd yn codi arswyd arnom ni'r plant. Yna'r drôr ganol. Fe gaem ni'r plant agor hon, gyda chaniatâd Mam, gan amlaf i estyn y pwrs cyn mynd ar neges i'r siop. Ond er gweld y pwrs bron yn syth, mi fyddem yn manteisio ar y cyfle prin i chwilio a chwalu yng nghanol y trysorau. Mi glywaf lais Mam yn taranu, 'Tyrd o'r drôr yna i gytrywla; mae'r pwrs dan dy drwyn di.' Mi wyddai hi leoliad pob dim yn y drôr heb orfod ei hagor! Roedd y drôr olaf yn llai pwysig o lawer ac arwydd o hynny oedd na fyddai raid cael caniatâd i'w hagor. Labeli i'w rhoi ar hamperi cwningod fy nhad oedd yn hon. Roedd enwau a drecsiwn y prynwyr hyn ar y labeli: W. D. Davies, Lerpwl, a Charles Pettrie, C. Fielden a J. E. Cole – masnachwyr gwylltfilod mwyaf marchnad Manceinion. Fe ddeuai'r delwyr hyn heibio inni cyn y Dolig. 'Dynion neis gynddeiriog,' meddai Mam amdanyn nhw. Er na fedrai Nhad ond cwta hanner dwsin o eiriau Saesneg, na chanddo syniad sut i'w lleoli'n frawddeg, eto mi oedd y Saeson blonegog yn ei ddeall o: ei ddeall yn ddigon da i chwerthin, o leia! Byddai Nhad wedi ymorol am bâr o ffesantod yn anrheg iddynt, a châi yntau goblyn o sigâr fawr hir yn ôl. Tipyn o newid o'r Woodbine grôt.

Ia, symud y dresal a oedd cyn bwysiced i'n teulu ni ag Arch y Cyfamod i'r hen genedl gynt, fel y gwelwn i bethau. Symud y cloc mawr â'i wyneb arian, a Nhad yn cario'i ben mawr o mor ddefosiynol a gofalus â merch Herodias yn cario pen Ioan Fedyddiwr i'w mam. Aeth y setl a'r soffa hefyd i'r cartra newydd.

Ond doedd y cartra newydd yma ddim mor bell ag y dyfalai Mair, fy chwaer. Llai na dwy filltir, fel yr 'hed y frân, oedd o o Lidiart Gwyn. Safai'r tyddyn ar fin y ffordd rhwng pentre Botwnnog a Threfdindywydd, ar ysgwydd ogleddol mynydd-dir y Rhiw. Fel pyrth yr eglwys ym Mellteyrn, fe'i hadeiladwyd o garreg Chwarel Tŷ Engan gerllaw. Ar ôl cyrraedd, roeddem ni'r plant a'r fuwch a'i llo wedi gwirioni efo'r fath libart.

Roedd dau enw i'r tyddyn a greai gryn ddryswch i ni. Mae'n debyg mai Cefngwyfwlch oedd yr enw swyddogol – enw sy'n esbonio'i hun, debygwn i, sef 'gwydd-fwlch' yn golygu bwlch coediog. Er, mae'n gof gen i i Syr Ifor Williams, y dewin geiriau, ddweud wrthyf unwaith bod cysylltiad rhwng yr enw Cefngwyddfwlch ac arhosfa'r pererinion ar eu ffordd i Enlli erstalwm. Gresyn na fyddwn wedi ei holi'n fanylach a chofnodi'r hyn a ddaeth o enau'r arbenigwr. Ond yr enw arall a fathwyd yn ddiweddarach a ddefnyddid erbyn ein hamser ni, a dyna'r enw a lynodd wrth bob un ohonom fel teulu hyd heddiw – a 'Lôn' ydi hwnnw. O ganlyniad, 'Emlyn Lôn' fûm i, a dyna fydda i byth ym mro fy mebyd.

Mae Lôn yn enw digon cyffredin ar dai yn Llŷn: yn wir, mae'n enw ar dŷ arall yn yr un plwyf. Ym Mryncroes, rhyw filltir o'r Lôn, mae yna Lôn Ddiffyg – yr hen enw ar *cul-de-sac* yn Llŷn gynt. Fe geir hefyd Lôn Las yn y Rhiw, Lôn Dywyll ym mhlwyf Llangïan (cartra'r Parch. Harri Parri), Lôn Gert a Lôn Glai. Ond beth wnewch chi o hyn? Yn *Taith neu Siwrnai y Pererinion* (1688), mae Stephen

19

Hughes yn cyfeirio at 'wttra gam' (lôn gam) ger y ffordd y teithiai'r pererinion arni. Diolch byth mai'r enw bach twt 'Lôn' oedd ar ein cartra newydd, ac nid y jygarnot arall!

Un o ogoniannau'r Lôn i ni'r plant oedd fod yno wyth o gaeau, a oedd, am a wyddem ni, yn ddienw. Mae enw'n personoli ac yn rhoi cymeriad i wrthrych, meddai'r Iddew. Ac oni ddywedodd Kate Roberts fod caeau angen enw yr un fath â phobol? Felly roedd hi i ninnau'r plant. Aethom ati, felly, yn ddiymdroi i fedyddio'r caeau ag enwau. Gan na wyddem ni ddim am ansawdd y tir, unig arwyddocâd yr enwau roesom ni i'r caeau oedd maint a siâp, ond buan iawn y daethant yn fodd hwylus i wahaniaethu rhwng cae a chae. Wedi'r cwbwl, yma ar y caeau hyn y byddem yn lleoli mân ddigwyddiadau bywyd – mawr a bach, pwysig a dibwys – er y byddai pob digwyddiad yn fawr ac yn bwysig erstalwm.

Yng ngwaelod y weirglodd, dan y goeden afalau surion, y byddem yn ffrio wyau cornchwiglod. Morgan Bronllwyd roes y syniad gwych yna inni. Byddai Mair, fy chwaer, yn ymorol am dipyn o saim mewn papur newydd, a byddai hen gaead tun go fawr yn gwneud padell ffrio ardderchog. Doedd unman yn y byd yn debyg i Weirglodd Trygarn am nythod cornchwiglod. Craffem ein tri – Morgan, Harri a minnau – a phawb yn dewis ei nyth yn y pellter. Byddai un cyfarwyddyd hollbwysig i gadw ato: ni ddylid cymryd yr wyau os oedd pedwar ohonynt yn y nyth, rhag ofn bod y gornchwiglen yn gori! Yno, dan gysgod gwych y pren afalau, y mwynhaem yr wyau blasus, heb blât na fforc – eu bwyta'n syth o'r badell dun. Doedd dim sôn am 'Iechyd a Diogelwch' y bryd hynny, diolch i'r drefn.

Yn ystod gwyliau'r haf fe ddeuai John Bryn, mab i weinidog o Flaenau Ffestiniog, i dreulio pum wythnos yn Nhŷ Engan. Roedd yn nai i'n cymdogion. Un da oedd John Bryn; medrai feddwl am ddireidi na freuddwydiem ni amdanynt. Roedd hen ful yn cydbori â'r buchod yn Nhŷ Engan – yn ôl rhyw gred, roedd yn help rhag i'r buchod erthylu. Beth bynnag am hynny, fe roesom Nan, fy chwaer bach, ar gefn y mul yn Cae Pwll Batus, Tŷ Engan, ond cyn i'r hen beth bach gael eistedd yn iawn rhoes y mul sbonc uchel, ddisymwth, a lluchio'r plentyn diymadferth. Gorweddai Nan megis marw, a ninnau'n dau mewn panig. Mi gofiaf ei geiriau pan ddadebrodd, 'Wna i ddim deud wrth Mam!' Byddai'n rhaid i Harri a finnau fynd â Nan i'n canlyn bob tro, neu chaem ni ddim mynd i Dŷ Engan nac i Fronllwyd! Mae'n syndod meddwl y bodlonem ar gyn lleied i'n cadw'n ddiddig yn yr oes honno.

Caem ddigonedd o ffrwythau gwyllt ar y llwyni a'r coed i sicrhau cythraul o boen bol bob nos – faint fyd a fynnem o fwyar duon, afalau surion ac eirin tagu. Mi wyddai Robin, fy mrawd, hefyd o dan ba blanhigyn yr oedd cnau daear i'w cael. Roeddem yn adnabod y cylchoedd hau, plannu, medi a bwyta. Gwyddem i'r dim am ba hyd y dylai tatws fod yn y ddaear a pha hyd y cymerai wyau ieir a gwyddau i ddeor. Ni'r plant fyddai'n gosod cylch o gwmpas rhif ar almanac Wil Bwtsiar i nodi'r dydd y deuai'r fuwch goch â llo. Naw mis ar ôl cael tarw, wrth reswm – toeddem ni'n llygad-dyst i'r cenhedlu gan darw du Cymreig Tŷ Engan? Bu'r pethau hyn i gyd yn gyfrwng addysg fuddiol inni. Chawsom ni erioed wyliau oddi cartra, a dyna pam, mae'n siŵr, fy mod i mor gyndyn heddiw i symud o gartra ar beth mor ddi-fudd â gwyliau!

Nid yn unig fe gawsom gartra newydd, ond bellach roeddem mewn pentra newydd – Botwnnog. Mi oedd i'r pentra ddau enw; yr enw arall oedd Rhyd-bach. Fel a ddigwydd mewn sawl achos, mae'n debyg mai sant – Sant Tywynnog – a goffeir yn yr enw Botwnnog. Mae'r enw Rhyd-bach yn fwy disgrifiadol o lawer gan y saif y pentra rhwng tair pont, a chyn bod sôn am y pontydd ni fyddai ond rhydau i groesi'r afonydd. Fe gyferfydd tair afon yn y pentra. Daw afon y Faerdref o ffynnon Bryncroes a Nant y Rhenllyn, cyn troi yn afon Soch wrth Bont Plas Coch a'r Rhyd Goch. Yna afon Selar, eto yn ymuno wrth Blas Coch ac yn dod o gyffiniau Brynmawr a than Bont y Gof. A'r olaf yw afon Dolcama, a red o gyffiniau'r Garn ac a groesid gynt â'r 'rhyd bach'.

Roedd y tair afon hyn yn nefoedd i blant y pentra a chaem herio'n gilydd mewn dwy gamp – pysgota a neidio'r afon. Gwyddem am bob carreg a thorlan yn yr afonydd, o Bont Rhydgoch i Bont Saithbont. Roedd Saithbont rhyw filltir i lawr yr afon ym mhlwyf Llandegwning. Roedd y daith o Landegwning i Abersoch yn hynod o wastad. Dyna ddiben y chwe phont sech – gwarchod rhag llifogydd. Tybed ai dyna pam y canodd Ianto Soch, hen fardd gwlad a drigai yn Glanrhyd, fel hyn:

Os afon sech yw afon Soch,
I ba beth gwnaed Pont Plas Coch?

Gan fod y Lôn yn well na milltir o'r pentra caem siwrnai ddifyr i'r ysgol bob dydd. Ymunem yn gryn dyrfa o blant swnllyd ar y daith i Ysgol Pont y Gof, a safai rhwng gweithdy'r saer, Congl-y-meinciau, a gefail y gof. Roedd Ellis Roberts, y saer, yn flaenor efo'r Wesleaid ac yn credu nad oedd Iachawdwriaeth i neb ond efo'r Wesleaid. Roedd Thomas Jones, y gof, yr un mor gul dros y Calfiniaid, ac roedd yntau'n flaenor, ond efo'r Methodistiaid yn Rhyd-bach. Byddai'r ddau'n cyd-dynnu'n rhagorol am chwe diwrnod o'r wythnos! Roedd yr ysgol yn ddigon agos at yr efail i ni glywed miwsig yr engan bob dydd, ac yn ddigon agos at weithdy'r saer i glywed sŵn llifio ar ddiwrnod distaw ac i glywed aroglau coed ffawydd pan fyddai'r gwynt o gyfeiriad Porth Neigwl.

Roedd gair da i Ysgol Pont y Gof ar gyfrif ei phrifathro, Lewis Roberts. Er ei fod yn ddyn distaw a dwys, eto roedd ganddo reolaeth lwyr arnom ni'r plant. Roedd ganddo ddiddordeb anghyffredin ym mhob plentyn a gwyddai i'r dim beth oedd gallu a chyrhaeddiad pob un ohonom. Gan ei fod yn Eglwyswr selog a'r ysgol yn ysgol Eglwys, byddai'n rhaid inni ddysgu'r Magnificat a Chredo'r Apostolion a Chatecism Eglwys Loegr, a chaem gynghorion mewn moesgarwch hefyd. Pan ddeuai rhywun o bwys i mewn i'r dosbarth disgwylid inni sefyll fel soldiwrs, a hynny yn ddigymhelliad. Y prif ymwelwyr â'r ysgol fyddai John Evans, y person, Samuel Owen, y dyn hel plant i'r ysgol, a rhywrai o'r Pwyllgor Addysg yng Nghaernarfon. Cofiaf yn dda unwaith i May, morwyn fach Swyddfa'r Post, ruthro i'r dosbarth â theligram i'r prifathro, a ninnau'n sefyll. Fe'n gorchmynnwyd i eistedd yn ddiymdroi am na ddylem godi i May a'i siort. Synhwyrais nad oedd rhyw lawer o werth mewn unrhyw foesgarwch a oedd yn anwybyddu May bach.

Jennie Jones, merch ifanc o Ddeiniolen, oedd titshiar y plant bach. Ymdrechodd yn ddyfal i'm dysgu i ddarllen. Roedd ganddi amynedd di-geulan! Am ryw reswm, rwy'n dal i gofio un cymal: 'I lawr â hwy am y Tŷ Coch – yno roedd Nel a Sam yn byw.' Ond os cafodd hi rhyw flewyn o lwyddiant i'm dysgu i ddarllen yn fy iaith fy hun, fe gydnabu ei methiant i ddysgu Saesneg imi. O ganlyniad, fe'm sicrhaodd nad awn i ddim yn bell heb yr iaith honno, a finnau'n hen hogyn bach powld yn deud nad oeddwn i isio mynd o adra byth!

Ond fe ddaeth gwawr i'm nos pan gyhoeddodd y prifathro un bore fod tua ugain o blant o Lerpwl i ymuno â ni – ifaciwîs, yn dod i ddiogelwch Llŷn. Fe'n rhybuddiwyd rhag codi unrhyw arferiad annymunol gan y dieithriad hyn, ond yn hytrach ein bod i fanteisio ar y cyfle euraid i ddysgu eu hiaith, gan nad oedd obaith inni wneud unrhyw farc heb Saesneg. Ond heb ymdrech nac ymgais fe ddysgodd y ffoaduriaid ein hiaith ni mewn dim o dro; ddysgon ni odid ddim o'u hiaith nhw.

Trefnai'r awdurdodau i leoli'r plant hyn mewn ardaloedd a fyddai'n gweddu i'w natur a'u cefndir, ac roedd yn ddigon naturiol mai plant o ardaloedd tlotaf Lerpwl a leolid yn Llŷn. Ond trwy ryw amryfusedd fe gymysgwyd y plant ar orsaf drenau Bangor, a'r canlyniad fu i blant o Biggin Hill yn ne Lloegr ymuno â rhai o blant Lerpwl a chyrraedd Ysgol Pont y Gof. Roedd y gwahaniaeth yn amlwg rhwng y ddau ddosbarth o blant, mewn gwisg, acen ac ymddygiad, ond y nefoedd a ŵyr mi oedd y Lerpwliaid yn ffitio'n well ym Motwnnog. Roedd merched Biggin Hill yn gyndyn iawn o gymysgu efo ni, ond gan na fu erioed groeso i snobyddiaeth yn Llŷn bu'n rhaid i blant y de ddysgu goddef y gogleddwyr, a gyda phwyll fe ddigwyddodd hynny. Ac yn wir, fe ddaeth Doreen Gilbert yn bur boblogaidd efo'r hogia hynaf – wel, mi roedd hi'n dipyn o bishyn a deud y gwir, er mai o Biggin Hill y deuai. Bu Alun y Faerdref yn caru'n selog iawn efo Eireen, er iddi gartrefu dan gronglwyd y person. Roedd Sheila Rangles yn ferch i gapten llong ac yn ferch hynod o alluog. Cydletyai brawd a chwaer efo hi yn Nhregrwyn – Mary ac Eddie Grey – dau Lerpwlyn annwyl gynddeiriog. Cafodd Charles Swineburn gartref eithriadol o groesawus ar aelwyd ddi-blant Pen y Rhos, efo Thomas a Nellie Philips. Roedd Nellie wedi gwirioni a fyddai neb yn ei cheg o fore gwyn tan nos ond 'Charlie ni'. Bûm i'n gyfaill agos i Charles, ac yn ei gysgod derbyniais innau o garedigrwydd Nellie Philips. Cadwodd Charles gyswllt agos trwy'r blynyddoedd ac wedi iddo briodi a setlo i lawr deuai i'r ardal, ef a'i deulu, bob haf. Mewn ymdrech i achub bywyd o'r môr yn Llanbedrog un haf fe foddwyd Charles Swineburn, gan adael ei rieni maeth yn dristach na thristwch.

Roedd Tommy Burnell, a letyai ym Mhlas Coch efo Nan-nan, yn dipyn o gymeriad ac yn llawn direidi. Er bod Nan-nan yn hen ferch dduwiola'r ardal, roedd hi'n annwyl ac yn rêl hen gariad, ac roedd Tommy a hithau'n gyrru 'mlaen yn burion â'i gilydd. Fyddai wiw i neb ddweud dim am Tommy yng nghlyw Nan-nan, mwy nag am Nan-nan wrth Tommy. Ond un pnawn Sul fe dorrodd yr argae. Roedd cynulleidfa luosog Ysgol Sul Rhyd-bach yn rhyw dindroi tua'r drws ar ei ffordd allan (fyddai neb yn brysio erstalwm!), ac ar hyn dacw lais uchel yn galw, 'Nan-nan, Nan-nan – wli be ydwi wedi gael iti.' Adnabu hi'r llais – llais 'Tommy ni'. Plethodd Tommy ei ffordd trwy ganol yr ysgolheigion duwiol gyda darn bwcedaid o fashiarŵms, hoff bryd hen ferch Plas Coch. Yn ei awydd mawr i ennill ffafr Nan-nan, roedd Tommy Burnell wedi torri dau orchymyn a oedd yn uchel iawn yn nhyb ei fam-dros-dro – torri'r Sabath drwy hel mashiarŵms, a chwarae triwant o'r Ysgol Sul. Fe ddeil rhai o hyd y maddeuwyd i Tommy Burnell ei bechodau ac i'r ddau fwynhau pryd da o'r manna wedi iddynt gau'r drws a thynnu'r llenni!

Fu neb â mwy o hiraeth na Nan-nan wedi i Tommy a'i gyfoedion fynd yn ei ôl i'w broydd pan ddaeth heddwch. Aethant yn ôl wedi dysgu iaith newydd, ac wedi'i dysgu yn ei phurdeb yng ngwlad Llŷn; ei dysgu heb wyddor na phatrwm na gorfodaeth chwaith. Yn ddiddorol iawn, y ddau gam cyntaf iddynt wrth ddysgu'r iaith oedd dysgu rhegi (roedd digon o arbenigwyr ar y gelfyddyd honno), a dysgu emynau'r plant yn Ysgol Sul Rhyd-bach. Y ffefryn o'r rheini oedd:

Iesu tirion, gwêl yn awr
Blentyn bach yn plygu i lawr.

Wrth feddwl a chofio am y cyfnod hapus hwn yn fy mywyd, mi fydda innau'n dweud yn aml, fel Waldo gynt:

Mynych ym mrig yr hwyr, a mi yn unig,
Daw hiraeth am eich nabod chwi bob un.

Roedd hi'n gryn gam o Ysgol Pont y Gof i'r Cownti, neu fel y galwem ni ym Motwnnog yr ysgol honno, 'yr ysgol uchaf'. Hon, yn ddi-os, oedd y sefydliad pwysicaf ar Benrhyn Llŷn a hynny ar gyfrif ei hanes hen a diddorol, y cyfeiriais ato eisoes. Ar ôl ei sefydlu fel ysgol ramadeg yn yr ail ganrif ar bymtheg, dywedir y bu sawl ymgais i'w symud o ran lleoliad, a bu rhai mor feiddgar â sôn am ei chau. Mi fyddai'n llawer iawn haws symud Mynydd y Rhiw na symud 'Hen Ysgol Hogia Llŷn'!

Mae dalgylch yr ysgol i'r gorllewin o linell ddychmygol yn rhedeg ar draws y penrhyn o Edern i Abersoch, ac yn cyrraedd i Aberdaron gyda Thrwyn Cilan yn ffurfio math o 'stand' neu goesyn i'r dalgylch. Dyma, yn ôl rhai, yw Penrhyn Llŷn go iawn! Yn naturiol mi oedd yna beth gelyniaeth, digon hwyliog, rhwng Ysgol Botwnnog ac Ysgol Pwllheli, a hefyd rhwng rhai o'r pentrefi hynny o boptu'r llinell:

> Aberdaron dirion, deg;
> Morfa Nefyn, cau dy geg.

Fu'r un athro na disgybl mor uchel ei gloch dros Ysgol Botwnnog â Gruffudd Parry, yr athro Saesneg. Bu ei gyfraniad i fywyd cymdeithasol yr ysgol yn anhygoel. Canodd ei chlod mewn canig fywiog a rhyw dinc frolgar ac ymorchestol ei llond:

> O'r Sarn ac Aberdaron,
> Tudweiliog, Abersoch,
> O'r Rhiw neu o Lanengan,
> O ba le bynnag boch –
> Yr ysgol orau welwyd,
> Fe wyddom ni bob un,
> Yw Ysgol Sir Botwnnog,
> Hen Ysgol Hogia Llŷn.

Tua chanol y pedwardegau lluniodd Gruffudd Parry (a oedd, wrth gwrs, yn llenor gwych) 'ffantasi' dan y teitl *Hen Ysgol Hogia Llŷn*, a llwyddodd y perfformiadau cofiadwy ohoni i roi inni ddarlun byw o'r ysgol o'i chychwyn.

Câi'r plant eu derbyn i'r ysgol bryd hynny trwy ddrws y Sgolarship. Roedd y drws hwnnw'n llawer iawn rhy gyfyng i mi, ond fe lwyddais trwy ddrws lletach – yr

Entrans. Cystal imi gyfaddef na wnes i fawr iawn ohoni yn yr ysgol hon eto, er cymaint y canmol arni. Methwn yn lân â gweld y cysylltiad rhwng yr iaith Ladin – na rhwng 'long divisions' neu Algebra – ac ennill bywoliaeth ar Benrhyn Llŷn.

Byddai pob athro ac athrawes yn rhoi digon o waith cartra inni fel nad oedd modd cael egwyl rhwng te a gwely. Ond sut y medrai neb gael cornel i sgwennu ar yr unig fwrdd yn yr unig ystafell fyw? Pan gawswn gyfle yng nghwr pella'r bwrdd, mi fyddai'r tri bach – dau frawd a chwaer – wedi closio ata i ac yn holi am bapur a benthyg pensal er mwyn iddyn nhwythau gael sgwennu. Nid chwilio am esgus yr ydw i, ond dwedyd y gwir! Gwyddwn hefyd fod Nhad yn dyheu am y dydd y cyrhaeddwn fy mhedair ar ddeg oed, gan y byddai yna un yn llai i'w gadw pan awn i o'r cartra i weithio. Ond mi wn i'n burion am blant dan yr un amgylchiadau a wnaeth y gorau o'r gwaethaf, ac o leiaf mi lwyddais innau trwy Ysgol Botwnnog i ddod i adnabod darn mawr o Lŷn yn dda a gwneud ffrindiau sy'n para o hyd.

Dyn byrdew a natur cloffni yn ei glun dde oedd y prifathro, D. R. Griffith. Fyddai ganddo fawr o ddisgyblaeth na rheolaeth ar blant. Fe gydiai ym moch plentyn â'i fys a'i fawd weithiau, yn gwbwl ddirybudd a heb reswm, a gwasgai fel bodiau cranc gan dynnu wyneb fel pe bai'n dioddef ei hun! Fel pob cenedlaetholwr rhonc y dyddiau hynny, roedd yn ddyn eitha od yng ngolwg pobol Llŷn.

Dynes fechan yn cerdded fel pe bai ar sbrings oedd Dorothy Evans, yr athrawes Saesneg. Ymgollai'n llwyr wrth ddarllen am wylltfilod *Wind in the Willows*, a llwyddai i ddynwared creaduriaid bach direswm fel tyrchod daear a llyffantod, gan eu cyfarch fel 'Mistyr'.

Roedd yno un athro odiach na'r cyffredin – Waldo Williams. Mi oeddwn i'n lecio'r athro yma, er ei fod o'n gwisgo ac yn siarad yn wahanol. Byddai ei wallt bob amser yn flêr, fel pe bai newydd godi, a byddai cwlwm ei dei wedi diflannu dan y goler. Gwisgai drowsus rhiciog (melfaréd) a hwnnw wedi colli tipyn o'i liw o'i fynych olchi, a phâr trwm o sgidiau hoelion mawr. Sibrydai siarad trwy ei ddannedd mewn acen a geirfa nad oedd modd eu deall. Roedd yn awdurdod ar sawl pwnc – os awdurdod hefyd! Mewn gwers ar ddaearyddiaeth âi â ni i Sir Benfro, a oedd mor ddieithr i blant Llŷn â Tseina. Fe gollai ei dymer yn hawdd, a wyddai neb paham; canmolai dro arall, a wyddai neb eto paham! Dyma'r cyfnod y bu farw ei wraig yn ferch ifanc a does dim amheuaeth nad effeithiodd y brofedigaeth honno yn andwyol ar ei natur a'i nerfau. Eto fe synhwyrem ni'r plant fod Waldo Williams yn ddyn gwahanol i bawb, a'i fod rywsut yn enaid mawr.

Roedd Hughes Maths yn ddyn temprus ryfeddol, ond pwy a welai fai arno? Rwy'n siŵr na fu gwlad Llŷn erioed yn nodedig am ei mathemategwyr, ac yn siŵr doedd Gwilym El a minnau ddim yn deilwng i agor esgidiau'r fath fodau. Fe gyffesodd mewn bloedd arteithiol wrthym ein dau un pnawn Difia (gair Sir Fôn, ylwch!) ei fod wedi dysgu'r pwnc dros nifer o flynyddoedd i rai cannoedd o blant – 'but you two are the most hopeless of them all – I simply give up with you!'

Byddai ambell storm fel yna yn help mawr i gadarnhau fy nyfodol: gwyddwn y byddwn innau, fel fy mrodyr a llawer iawn eraill o 'Ysgol Hogia Llŷn', yn troi at grefft gynta dynolryw pan gawn y cyfle.

Magu Hyder a Meithrin Dawn

Nid ysgol oedd yr unig fan cyfarfod i ni oedd yn ifanc ym mhedwardegau'r ganrif ddiwetha: roedd mynd mawr bryd hynny ar gapel a llan. Yn wir, roedd y fath lwyddiant fel nad oedd raid i neb boeni'u pennau am ymuno efo'i gilydd! Âi pawb i'w le ei hun, ac eithrio pan gynhelid oedfa Ddiolchgarwch yn Eglwys y Plwyf. (Ein siomi gaem ni fan honno bob tymor, am fod y pregethwyr yn rhai gwael!) Yn gyfnewid am y gwasanaeth Diolchgarwch hwn, fe ddeuai plant yr eglwys i'n Hysgol Sul ni yng nghapel y Methodistiaid yn Rhyd-bach. Erbyn meddwl, byddai holl blant y pentra o'r bron yn ein Hysgol Sul ni, oedd yn un arbennig o dda. Roedd hefyd gapel bychan i'r Wesleaid ar lethr Dindywydd – Capel Tyddyn. Fu neb erioed mor selog dros eu capel â'r praidd Wesleaidd yno, ac o'r capel bach hwn y cododd un o ysgolheigion a phregethwyr mwyaf y Wesleaid yng Nghymru'r ugeinfed ganrif – y Parch. Griffith Thomas Roberts, Congl-y-meinciau.

Roedd yr awyrgylch yn y capel mor wahanol i'r ysgol bob dydd, a'r cwmni'n glòs a chynnes. Dyma gymdeithas lle byddai'r ifanc a'r hŷn yn goddef ei gilydd yn ddigon hapus. Yma y dysgwyd ni i siarad yn gyhoeddus am y waith gyntaf erioed ac i ddadlau ein syniadau a'n barn – magu hyder a meithrin dawn i siarad a darllen yn gyhoeddus i lond capel. Byddai'r Arolygwr yn troi at rywun gwahanol ar derfyn yr 'ysgol' bob Sul. 'Wnei di ddechrau'r Ysgol Sul y Sul nesa?' Fuasai neb yn meiddio gwrthod – yn wir, yn ddistaw bach, mi fyddem wrth ein bodd!

Fyddai hi'n drafferth yn y byd i'n cael ni'r plant i'r Band

of Hôp chwaith ar nos Wener i ddysgu canu ac adrodd ac actio. Y gwahaniaeth mawr yn y Band of Hôp oedd y byddai yna ran i bawb – fyddai wiw gadael neb allan gan y byddai mamau'r fro yn llawer mwy hyf a beiddgar efo'r gweinidog druan nag yr oedden nhw efo unrhyw athro ysgol! O ganlyniad i hynny mi welais i ambell Joseff llipa a llywaeth sobor, ac ambell Herod frenin mor ddiniwed ag oen bach. Ond chwarae teg i awdurdodau'r Band of Hôp, y nhw oedd yn iawn – mae yna fwy i ddrama'r geni na llwyfannu da.

Caem nosweithiau difyr hefyd mewn cyfarfodydd amrywiaethol, yn datrys pyslau neu gyfarwyddo dieithryn i le dipyn yn anghysbell yn y pentra, a darllen darnau heb eu hatalnodi. Diolch i'r bobol dda hynny a roes o'u hamser prin a'u doniau amrywiol i'n dysgu ni mewn pynciau mor fuddiol. Ac onid ar ein ffordd adra o'r cyfarfodydd hyn y dysgom ni garu am y tro cynta erioed? Chwi'r cariadon cynta hyn, oedd mor agos â chwiorydd inni a ninnau fel brodyr i chithau, fe ddaw hiraeth am eich nabod chi bob un – Myra Tŷ Gwyn, Greta Pantgof, Nancy a Mabl Tyndonnen, Meirwen Bronphylip, Megan ac Enid Tŷ Newydd, a'r lleill oedd ychydig yn hŷn – Mary Alice, Mari Pentra, Tudwen Pont y Gof, Sera Eirwen ac Elenor. (Os gadewais i unrhyw un allan, ymddiheuraf ichi – siawns na wyddoch chithau bellach beth ydi anghofrwydd, a chithau yr un oed â mi!)

Adra yn y Lôn y gwasanaethodd y Parch. Aneurin Edwards (ein gweinidog) ei oedfa olaf cyn mynd yn weinidog i Langristiolus, Môn. Fe'i galwyd acw i fedyddio Ieuan, fy mrawd, am fod Doctor Jôs a Mam yn amau a fyddai o byw yn hir. Wrth gwrs, elai plentyn bach ddim i'r nefoedd yn yr oes honno heb ei fedyddio. Codwyd allor yn y siambar – lle hawdd iawn i wneud hynny, ddywedwn i, achos mi oedd Mam wedi gweddïo digon trosom ni i gyd yno ac wedi cyfeirio'n arbennig at Ieu bach yng nghwt pob un o'i phaderau ers tro. Eisteddwn i ar y setl efo Nhad a Mair, fy chwaer, ac er mai dim ond llefnyn deg oed oeddwn i ar y pryd, mi fedra i glywed yr eiliad 'ma weddi Aneurin Edwards yn ei lais hudolus yn dianc trwy gil drws y siambr ac yn ein cyrraedd ni, y gynulleidfa ddwys o dri ar y setl. Mi oedd fy nhad yn crio, ac fe griodd Mair am fod ei thad yn crio, ac mi wnes innau grio dipyn bach am fod fy nhad yn crio. Mae rhywbeth yn heintus ac yn braf mewn crio. Cafodd Aneurin Edwards un o oedfaon mwyaf ei fywyd yn nheml fach ddi-nod siambr y Lôn y diwrnod hwnnw. Roedd Ieu yn ochneidio ar fraich Mam a'i wyneb yn boeth ac yn wlyb gan ddagrau. Pan ddaeth y tri o'r 'cyntedd sancteiddiolaf', fel Moses o'r mynydd, roeddynt hwythau ill tri yn crio. Eisteddodd y gweinidog wedyn i baned o de a phishyn o dorth gri, ond doedd hi ddim yn hawdd siarad am dywydd na rhyw fanion destunau felly ar ôl oedfa mor ddwys. Bu pwyllgor brys wedyn rhwng Mam a Nhad wrth ben y dresal, a phan gododd y gweinidog i fynd ar ei daith olaf o'r Lôn, cofiaf weld Mam yn rhoi ei llaw garedig yn ei boced. Ond gwyddai pawb nad oedd siec yn y byd allai dalu'n iawn am y fath oedfa. Fe droes Ieu ar wella gydag amser – gweddïau cyson Mam ynteu dŵr Sacrament y siambr, tybed?

Byddai gweinidog ar bob gofalaeth fechan o ddau gapel yn Llŷn yn yr oes honno. Dilynwyd Aneurin Edwards gan ŵr ifanc o Goleg y Bala, y Parch. D. R. Pritchard. Fu erioed weinidog yn gweddu'n well i'w ofalaeth. Roedd gan D. R. brofiad blynyddoedd o weithio yn Chwarel Dinorwig cyn mynd i'r brifysgol, ac roedd yn llawn hiwmor a hwyl yn ogystal â bod yn llenor da ac yn bregethwr grymus. Bu ei gyfraniad mewn tymor byr i ni'r rhai ifanc yn amhrisiadwy. Roeddwn yn perthyn i'w ddosbarth derbyn cyntaf a chyfarfyddem ar ei aelwyd mewn awyrgylch braf. Er yr hwyl a'r cyfeillgarwch, neu oherwydd hynny dichon, doedd neb a allai greu awyrgylch mor ddwys ac addolgar â'r gweinidog hwn. Mi gofiwn ni'n hir iawn, iawn y Cymun cyntaf a gawsom dan ei arweiniad. Cerddai lwybr y capel yn hamddenol yn rhannu'r bara ac yn adrodd emyn mawr Thomas Lewis, Talyllychau:

> Wrth gofio'i riddfannau'n yr ardd
> A'i chwys fel defnynnau o waed . . .

Roedd car y gweinidog yn apelio'n fawr atom ni'r ifanc hefyd, a chawsom sawl trip ar ffyrdd gwyrgam yr ardal. Mi oedd rhywrai eraill wedi cael gorau y Ffordyn 'Y-teip' hwnnw, cyn i'r gweinidog dalu pedwar ugain punt o'i arian prin amdano. Ar derfyn 'cyfarfod darllen' yn Rhyd-bach, gwahoddwyd dau neu dri ohonom am reid i ddanfon dwy o enethod Capel Neigwl adra i Borth Neigwl. Siaradai D. R. gan droi at ddau ohonom yn y cefn. Daeth at drofa dywyll Tynllan. Dyna glec – sŵn tunia'n drybowndian a gwydra'n malu. Roedd y Ffordyn bach wedi'i wasgu'n gïaidd fel consartina. Cyfarfu'r ddau yrrwr wrth drwyna'r ceir drylliedig. Bob Parry yr Ocsiwnîar oedd gyrrwr y car arall. Cyfrifid y gweinidog a'r ocsiwnîar ymhlith dreifars anobeithiolaf Llŷn y dyddiau hynny, ac rwy'n siŵr na ddaeth yna fawr neb gwaeth ar eu holau chwaith! Fyddai neb yn riportio pethau fel hyn erstalwm. Cyn holi na thaeru ar bwy roedd y bai fe setlodd yr arwerthwr y cwestiwn: 'Ewch â fo i Garej Seithbont at Ifan 'Refal, a deudwch wrtho am roi'r bil i mi.' Bu Ifan yn rhyfeddol o garedig wrth Ffordyn y gweinidog gydol ei weinidogaeth acw.

Ond byr fu tymor D. R. Pritchard yn Rhyd-bach a Neigwl – rhyw fwrw prentisiaeth cyn symud ymlaen. Yn wir, dyna fu'r patrwm gan sawl gweinidog yn Llŷn! Mae hi'n anodd credu erbyn heddiw bod cynifer â chwech o weinidogion ar yr un cyfnod yn nalgylch Ysgol Botwnnog yn wŷr ifanc, galluog yn syth o'r prifysgolion – Glyn Jones, Aberdaron; O. D. Williams, Penygraig; Emyr Roberts, Tudweiliog; John R. Roberts, Edern; Idan Williams, Abersoch, a D. R. Pritchard. Cofiwn mai perthyn i'r

Methodistiaid yn unig yr oedd y rhain; roedd gan yr enwadau eraill eu siâr. Nid rhyfedd i'r ffraethebwr hwnnw, Robert 'Gwiniasar', ddweud nad oedd fodd symud yn nhref Pwllheli ar bnawn Mercher gan 'gymint o goleri crynion – Arglwydd annwl, ma' dyn yn baglu ar draws gweinidogion yn Dre!'

Rywfodd, nid pregethu na doniau gweinidogion galluog a gafodd fwyaf o ddylanwad arna i yn fy arddegau cynnar, ond yn hytrach gymeriadau gwreiddiol, gwerinol a syml, a di-addysg ffurfiol. Chofia i fawr ddim o ddoniau'r pulpud ond mi gofia i laweroedd o berlau gwreiddiol y sêt fawr. Mi fyddai'r capel yn rhwydd lawn a'r galeri fach yn nhalcen pella'r capel yn llawn o hogia gweini ffermydd glannau afon Soch, gyda'u henwau wedi'u torri ar gefn pob sedd. Ysgwn i ydi ambell lyfr emynau'n dal yno gyda lluniau gweddus ac anweddus ambell artist da o blith yr hogia. Beth am y llyfr emynau hwnnw â'r gwpled honno:

> Pwy bynnag a'i dyco,
> Cortyn a'i tago.

Teflid peli bach caled o bapur mewn cystadleuaeth i gantal hetiau rhai o'r merched hefyd. Byddai gan Kate Griffith, Tir Du, het bwrpasol iawn, yn ffurfio'n soser hwylus ar y canol. Ond fe gedwid y gyllell gerfio a phensil yr artist a'r peli papur pan fyddai Dafydd Hughes neu Ianto Soch yn cymryd rhan, ac fe ddifrifolai'r mwyaf anystyriol dan gyfaredd gweddïau'r ddau hyn.

'Ddowch chi 'mlaen i gymryd rhan, David Hughes?' gofynnai llywydd y mis. (Âi Dafydd yn 'David' wrth orsedd gras!) Dyn caredig oedd Dafydd Hughes, a dau lygad glas rhyfeddol o addfwyn ganddo, a mwstásh bychan twt o faint stamp. Tueddai i orsychu'i drwyn gan guddio'i wyneb â'r cadach. Fe gofiwn yn hir y noson y cymerodd ran y nos Sul gynta ar ôl claddu'i wraig; roedd mwy o gryndod yn ei lais nag arfer y noson honno. 'Mae hen groesau bywyd yn drwm, Arglwydd mawr,' meddai. 'Maddau imi am gwyno. Dal fi fy Nuw, a maddau imi am lusgo'r groes a roist i mi, yn lle ei chario hi.' Ar hyn fe dorrodd yr argae, a dyma'r llifeiriant yn gwefreiddio'r gynulleidfa: 'Mi garia'r groes, mi nofia'r don,' ac yna cychwyn ailadrodd 'Mi garia'r groes, mi . . . Ond diolch a bendigedig fyddo'th enw di, mae pen trymaf pob croes ar ysgwydd dy Fab.' Enillodd Dafydd Hughes gydymdeimlad pawb oedd yno.

'Evan Jones, ddowch *chi* 'mlaen?' meddai llywydd y mis. Yn y sedd gefn o dan y galeri y byddai Ianto'n eistedd. Doedd o ddim yn gyflawn aelod, meddan nhw: roedd Hannah Jones, ei wraig, wedi cael ei babi cynta'n rhy fuan yn ôl cownt y Calfiniaid. Tybed ai fo oedd yr olaf i ledio emyn wrth gerdded i lawr i'r sêt fawr? Cerddai'n drwm tuag ati am fod ei esgidiau'n rhai trymion – yr un esgidiau yn union ag a fyddai ganddo drannoeth yn mynd i 'gau' ym Modnithoedd neu Berthlwyd, dim ond bod Hannah Jones wedi'u llnau nhw'n loyw. Mi glywa i ei lais o heddiw, fel rhyw furmur afon ac fel pe bai'n cadw tiwn efo'r camau bras ac araf: 'Cymer, Iesu, fi fel rydw i . . . ' Erbyn iddo gyrraedd y 'Gad im deimlo / Awel o Galfaria fryn', mi ddôi hyn wedyn: 'Tydw i ddim yn siŵr o'r nymbar – *canwch* hi', a byddai Ianto wedi cyrraedd y sêt fawr. Golygfa ryfedd fyddai gweld yr hen griadur yn trio penlinio, gan mor gyfflyd a fyddai'r coesau ceimion a blygwyd gan gryd cymalau. Ar ôl penlinio, gafaelai'n dynn â'i ddwy lawr fawr yn ffyn rhesal y sêt fawr. Yna caem yr aber-ganu hyfrytaf a glywais erioed. Byddaf yn dal i ryfeddu wrth gofio a meddwl am y fath gamp eiriol ddi-daw a di-feth – am dros chwarter awr!

Fe gaem ambell bregethwr anghyffredin hefyd, mewn dawn a gwreiddioldeb. Un o'r rheini yn siŵr oedd Tom Nefyn. Fe geid ganddo yntau ym mherorasiwn ei bregeth lifeiriant geiriol bron mor bêr â'r hyn a geid gan Ianto Soch. Rwy'n cofio Tom Nefyn yn pregethu ar 'y ddafad golledig' yn Rhyd-bach un nos Sul yn y gaeaf. Gwelem ei gysgod ar y pared gwyn tu ôl i'r pulpud yng ngolau gwan y lampau paraffîn drewllyd. Ar ucha'i lais fe waeddodd, '. . . ac a'i clyd hi ar ei ysgwyddau ei hun', a rhoes hen Feibl mawr y pulpud ar ei ysgwydd dde, gwargrymu odano a dal i weiddi tan gerdded i lawr o'r pulpud ac at yr organ. Chwaraeodd o ei hun yr organ tra oedd un llaw yn dal ei gafael yn y 'ddafad' – a chanu'n dawel, dawel hen emyn mawr David Charles, Caerfyrddin, 'Y Bugail mwyn o'r nef a ddaeth i lawr . . .' Plygai'r gweision dros ymyl y galeri er mwyn dal ar bob gair – golygfa nas anghofiaf i byth.

A sôn am argraffiadau a dylanwadau, er nad oeddwn ond plentyn, rwy'n cofio cryn sôn a siarad a dadlau yn yr ardal am 'y rhyfal yn Iwrop'. Byddai pobol yn siarad amdano ar y stryd, yn y siop ac ar yr aelwydydd – ychydig iawn o sôn a gofiaf ei glywed am y rhyfel yn y capel na'r seiat. Fe ddaeth y rhyfel o'r diwedd i'n tŷ ni, gan fygwth mynd â Nhad i ffwrdd i ymladd ac i ladd 'y Jyrmans diawl yna'. (Mi oedd hi'n iawn i chi regi wrth sôn am y rheini.) Ond diolch i'r drefn fe ddaeth y titshiar hwnnw a oedd yn lojio yn Nhŷ Engan – Gruffudd Parry – acw. Mi alwodd un gyda'r nos ac fe gliriodd Mam le iddo ar y bwrdd iddo gael sgwennu; mi oeddan ninnau'r plant lleia i gyd rownd y bwrdd fel cywion adar to a'u pigau ar agor. Roedd yn amlwg ddigon nad oedd Gruffudd Parry yn lecio rhyfel, ac mae'n amlwg hefyd y gwnaeth ei orau glas i gadw Nhad rhag mynd. Bu'n orfoledd yn y Lôn pan ddaeth gair o'r Swyddfa Ryfel yn dweud y byddai Nhad yn cael ei esgusodi o'r rhyfel am ei fod yn gweithio ar y tir.

Byddai athro arall o'r Cownti Sgŵl yn siarad yn erbyn y rhyfel, yn ôl y sôn, ac o ganlyniad mi fyddai rhai pobol yn ddigon beirniadol ohono fo – Waldo Williams. Ond rwy'n cofio Robin Emlyn, gwas Tŷ Engan, yn dweud wrth rowlio sigarét ar ei ben-glin, 'Wyddost ti be, mae gin y titshiar-siarad-digri yna rwbath – tybad ai fo sy'n iawn,

dywad, yn siarad yn erbyn yr hen ryfal yma?' Mi oedd
'rhen Ianto Soch ar ochr y titshiars hefyd. Mi fyddan ni'n
canu rhai o'i gerddi o, a rhai da oeddan nhw hefyd, er nad
oeddan ni yn eu dallt nhw'n dda iawn. Mae Harri 'mrawd
yn dal i ganu rhai o'i faledi. Dyma bennill neu ddau o un
ohonynt:

> Mae eto Jeroboam
> Hyd heddiw yn ei nerth,
> Un llo ar ben Porth Neigwl
> A'r llall ar Ben-y-berth;
> Ffarwél i fref y defaid,
> Waeth befo hwynt yn awr,
> Fydd dim cyn hir i'w glywed
> Ond swˆn y bomiau mawr.
>
> Fe glywir rhai yn siarad,
> Bydd gwaith i'r naill a'r llall,
> Heb rioed gael gweledigaeth
> O weithio ar seiliau'r Fall;
> Rhyw ysgol bur farbaraidd
> Yw ysgol tywallt gwaed,
> A meithrin pob egwyddor
> A chyfiawnder o dan draed.

Rwy'n siŵr braidd i'r tri hyn fod yn foddion i blannu
hedyn heddychiaeth ynof, er mai plentyn oeddwn. Heb
os, 'tangnefeddwyr, plant i Dduw' oedd y llenor ifanc o
Garmel yn Arfon draw a'r proffwyd od o Fynachlog Ddu
– a Ianto Soch, y bardd gwlad oedd â phigau yn rhosod
hardd ei waith.

A sôn am bobol od, roedd ein 'doctor teulu' ni yn ddyn
od ym mhob ystyr y gair. Rhoddai fwy o bwyslais ar y
teulu nag ar y doctor. Fuasai dieithryn byth bythoedd yn
dyfalu mai meddyg oedd Doctor Jôs! Crwydrai'r
ardaloedd mewn car a gurwyd mewn damweiniau, a
chafodd sawl ymwelydd haf nodau cïaidd ar eu ceir crand
– y cyfan, meddent, oherwydd bod 'that little man' heb
stopio. Welid dim ond het fechan feddal y doctor o'r car;

yn wir, holai rhai tybed a oedd ynddo yrrwr o gwbwl. Doedd yr un dilledyn o'i eiddo yn ei ffitio. Cuddiai ei esgidiau yng ngodrau llaes ei drowsus a oedd fodfeddi'n rhy fawr iddo, a'r un modd byddai ei ddwylo olewllyd yn swatio'n glyd yn llewys ei got. Disgynnai ei sbectol hyd ei breichiau i flaen ei drwyn ac edrychai drosti'n barhaus. Cadwai amrywiaeth o dabledi ym mhedair poced ei wasgod – yn wir, byddai ganddo feddyginiaeth at bob clefyd wrth law (neu wrth ei fys a'i fawd) yn wastad. Ond adnabu pobol Llŷn dros y blynyddoedd nad wrth ei big y mae prynu cyffylog: roedd Doctor Jôs yn gryn arbenigwr ar glefydau'r oes, ac os cuddio'i gredensials ydi camp yr athrylith, heb os mi oedd hwn yn athrylith.

Fyddai'r darlun o'r doctor ddim yn gyflawn heb Siân Tŷ'r Ysgol, ei ail wraig. Methodd y blynyddoedd, lawer iawn ohonynt, â heneiddio dim ar Siân. Roedd ei bochau'n gochion a phob rhych ar ei hwyneb wedi'i gau yn dwt, a disgleiriai ei gwefusau o goch mwy disglair fyth. Siaradai hen iaith Llŷn gyda'i hacen agored fel llifeiriant. Swynai'r cleifion mewn ysbyty, a chynulleidfaoedd bach a mwy ar hyd a lled Llŷn, gyda'i dawn nodedig i ganu gwerin. Fedrai Siân ddim maddau i biano ble bynnag y gwelai un, a phan gyffyrddai'r bysedd gwynion, hirion â'r dannedd gwynion – wel dyna wyrth heb os. Rwy'n falch imi gael cymryd rhan yn noson lawen Siân yn hen blas Gelliwig, a thrwy'r canu weld bywyd yn dod yn ôl i furiau tamp yr hen blasty.

Mewn plastai fel Gelliwig y bu'r ysgweiriaid cefnog gynt yn arglwyddiaethu ar y werin ac yn llunio tynged gwlad ac eglwys. Erbyn fy mhlentyndod i doedd yna ddim mymryn o ofn y deuai grym byddigions ddoe yn ôl. Mae gen i gof er hynny gweld Georgina Gough o Gelliwig yng nghar crand y plas yn mynd i Eglwys y Santes Fair ym Mryncroes bob bore Sul, y hi a'r person yn mynd heibio i'r Lôn ar hyd ffordd yr hen bererinion gynt. Rhybuddiai Mam ni i fynd o'r golwg pan nesâi car y plas, ond cawsom sawl cip ar y person yn ei lifrai eglwysig a'i aelod gwerthfawroca yn y sedd ôl, wedi'i chuddio dan y fêl ddu oedd dros ei hwyneb. Chymerai'r un o'r ddau unrhyw sylw o gapelwyr bach gwerinol fel ni.

Wrth gofio'n ôl, diolchaf am blentyndod mor hapus mewn cymdeithas fechan glòs. Bu'r pentra bychan a'i dair pont a'i dair afon, ei bobol a'i gymdeithas, yn addysg ac yn ddylanwad arhosol arna i a 'mywyd byth ers hynny.

Mi Fûm yn Gweini

Gallaf ddweud yn bendant imi gyrraedd 'oed yr addewid' yn bedair ar ddeg oed! Yn 1945 y bu hynny, y flwyddyn y cefais adael yr ysgol a 'mynd i weini' – yn fy hanes i, ystyr hynny oedd mynd yn was bach i un o ffermydd mawr Llŷn. Cawn adael caethiwed ysgol o'm hôl o'r diwedd. Ond y gwir amdani yw mai ias o ofn a deimlais pan gyhoeddodd Mam un amser te bod Nhad wedi cael sgwrs efo Caerwyn Evans, Neigwl Uchaf, Botwnnog, yn fy nghylch. 'Leiciet ti fynd yno at Robin, dy frawd?' oedd y cwestiwn a achosodd i'r frechdan lynu yn fy ngwddf. Y diwetydd hwnnw galwodd Caerwyn Evans acw. Siaradai â mi fel pe bawn i'n ddyn yn ei oed a'i amser. 'Ddowch chi acw yn was?' gofynnodd maes o law, gan syllu i'r tân ac nid arna i. Rhag ofn iddo newid ei feddwl, 'Dof!' meddwn, mor bendant ag oedd modd. Cytunwyd ar delerau o bum swllt ar hugain am y tymor cynta, a rhoddodd fy narpar gyflogwr swllt claer wyn yn fy llaw a dweud, 'Cofiwch, mi fyddwch yn cysgu acw ac mi fydda i'n disgw'l i chi fod yn y beudy am hannar awr wedi saith bob bora.'

Roedd Neigwl Uchaf, bryd hynny beth bynnag, yn un o ffermydd mwyaf glannau afon Soch – yn well na dau gan erw o dir da oedd yn cyrraedd bron o Borth Neigwl i goedlan Gelliwig, a thir y ffarm yn cylchynu'r tŷ. Roedd, ac y mae, y tŷ ar godiad tir gyda llyn hwyaid helaeth yn ei wahanu oddi wrth stryd hir o feudái, a'r gadlas tu cefn iddyn nhw, a'r stabal yn wynebu'r beudái. Doeddwn i fawr feddwl ar fy niwrnod cynta yn Neigwl Uchaf mai yn y llofft ddiaddurn a di-foeth uwchben y stabal y buaswn i'n treulio llawer iawn o f'amser dros yr wyth mlynedd nesaf.

Mi gofiaf yn glir y noson gyntaf y bûm dan ei chronglwyd. Gwnaeth y ddau wely mawr soled o goed ffawydd bras gryn argraff arnaf, a'r fatres beiswyn (neu wellt) pigog oedd ar y ddau, heb sôn am y bwced ddŵr ymolchi a'r lwmp o sebon coch carbolig drewllyd wrth ei ymyl. Roedd hefyd fwrdd bach del rhwng y ddau wely. Dyna holl ddodrefn y llofft, ar wahân i ddau goffor mawr Robin a minnau – fel dwy arch pobol dlawd. Yr unig eiddo gweledig arall oedd Llyfr Emynau'r Methodistiaid a'r cylchgrawn buddiol hwnnw, *Exchange & Mart*. Roedd hwnnw fel beibl ym mhob llofft stabal, gan fod holl reidiau dyn ynddo.

Ia, 'llofft stabal'! Pwy ddyfeisiodd y fath githwal â hon, ac o ba le y daeth? Hanner canrif a mwy cyn fy nyddiau i yn y llofft, câi gweision a morynion fwynhau clydwch cegin fawr y tŷ ffarm yng nghwmni'r teulu – y merched yn nyddu neu yn gwau, a'r dynion yn naddu a cherfio llestri coed, ffyn a llwyau caru. Yn ddiddorol iawn byddai'r penteulu yn darllen yn uchel – mae'n debyg am na allai'r gweision a'r morynion ddarllen. Byddai yno ganu ac adrodd storïau a chreu posau a rhigymau, ac mewn ambell gegin clywid y delyn. Ond yn raddol nid oedd lle i'r gweision mwyach yn y gegin. Beth tybed fu'n gyfrifol am y gwymp yma o ffafr y teulu? Ynteu a oedd o'n ddymuniad gan y gweision i gael lle iddynt eu hunain i dreulio'u hamser hamdden yn gwbl annibynnol ar bawb, yn enwedig ar eu meistri gwaith? Roedd yna reol anysgrifenedig ynglŷn â'r llofft a oedd mewn bod i'r diwedd – châi'r meistr na'r feistres ddim deintio i'r llofft, na meibion y teulu, ac yn siŵr ddim y merched, heb ganiatâd y gwas. Fe gâi'r forwyn fynediad i gyweirio'r gwely a rhyw fudur lanhau, a hynny tua chanol y bore pan fyddai'r gweision wrth eu gwaith.

Roedd yn gryn golled i'r gweision golli cynhesrwydd y gegin. Doedd dim byd i gynhesu'r llofft stabal, dim ond gwres y ceffylau oddi tanom. Mi fu'n agos iawn i mi â fferru lawer noson, a phwy allai gysgu fyth a'i draed fel cerrig beddau?

Ond mi fu yna sawl ffordd i gynhesu yn yr *hen* oes! Pan fyddai'r meistr a'r feistres wedi troi allan mi fyddai ambell forwyn garedicach na'i gilydd yn gwadd un o'r gweision a fyddai at ei thast i dreulio'r gyda'r nos efo hi yn y gegin. Bu hwn yn drefniant derbyniol iawn. Bu'r arferiad o 'streicio' yn boblogaidd iawn hefyd. Gair Sir Fôn ydi 'streicio' – 'cynnig' oedd yr ymadrodd yn Llŷn, ond fe olygai'r ddau yr un peth yn gywir, sef ymweld â'r ffermdai yn nhywyllwch nos a lluchio mân raean at ffenest llofft y forwyn. Os câi groeso, byddai gan y gwas mentrus ysgol yn barod wrth law a byddai yn y gwely chwap! Mi fyddai yna stori am was yn Neigwl Plas yn Llŷn a feiddiai fynd â'i gariad i'r llofft stabal yn y tywyllwch heb i neb eu gweld. Cysgai'r ddau ochor yn ochor tan y bore mewn carchar cynfas, trwy roi cynfas oddi tan y ferch ac yna dros y mab. Dyna atalfa'r oes honno, felly. Roedd yr arferion hyn i gyd wedi darfod â bod erbyn i mi ddod yn ddeiliad y llofft stabal – gwaetha'r modd!

Roedd Robin, fy mrawd, yn was ffyddlon iawn a hynod o gydwybodol. Gofalai am yr anifeiliaid fel pe baent yn eiddo iddo'i hun. Yna cawsom gwmni Huw, bachgen o Nefyn, a pherchen moto beic BSA. Treuliem bob bore Sul yn meddyginiaethu'r beic. Harri, fy mrawd bach, fu'r trydydd cymar yn y llofft cyn diwedd fy nghyfnod i yno – ond mwy amdano fo eto.

Gan fod ein cyfnod yn yr ysgol, lawer iawn ohonom, mor fyr yn y cyfnod hwnnw, a'n hagwedd ninnau at addysg mor wrthwynebus, ychydig iawn o addysg ffurfiol a gawsom mewn gwirionedd. Bu sawl meistr a meistres yn athrawon gwirioneddol dda i ni'r hogia ifanc yn y pedwardegau. Yn wir, doeddan ni ddim ond plant wedi gadael cartra a chael un newydd mewn llofft stabal. (Mae hanes am wraig weddw o Lannerch-y-medd yn dod â'i phlentyn un ar ddeg oed yn was bach i Dŷ Croes, Carmel.

'Dyma fo ichi,' meddai wrth Mr Pierce, y mistar, 'i wneud fel y mynnwch ag ef. Mae o wedi mynd dros fy mhen i. Yn unig, peidiwch â'i ladd!') Fe lwyddodd sawl meistr a meistres i wastrodi amal i sbrigyn anystywallt, wedi i gartra ac ysgol fethu.

Dyna addysg arall werthfawr i lafn ifanc fyddai dysgu siarad a sgwrsio a magu acenion iaith yng nghwmni rhai hŷn. Fyddwn i byth yn newid yr addysg yma a gefais yng nghwmni Dafydd, Gwilym a Robin fy mrawd. Hynafgwr clên yn byw yn Nhanymuriau ar lethrau'r Rhiw oedd Dafydd, a Gwilym yn hen lanc o ardal y Sarn oedd yn werinwr odiaeth o ddiwylliedig. Mi fedrai'r tri yma seinio acenion hen iaith Llŷn yn felodi i'm clust. Gan y byddai bywyd a gwaith mor hamddenol heb dwrw peiriannau ar y fferm yn yr oes honno, byddem yn naturiol yn difyrru'r amser trwy sgwrsio gydol y dydd. Rwy'n dal i'w clywed yn siarad, ac ymdrechaf weithiau i gofio ambell air a gollwyd – hen eiriau a âi yn ôl ganrifoedd. Pan fyddwn i'n torri i mewn i'r sgwrs, atebai Dafydd, 'Paid â *brwela*, rhen wesyn.' Mi fyddai'n dipyn o sarhad ar neb i gael ei alw'n *benffast* neu *benci*. Wrth ymwahanu ar sgwâr y pentra i fynd am y llofftydd stabal mi fyddai rhywun o'r criw yn siŵr o ddweud, 'Dowch am y *cithwal*, bois, mi ddaw'n amsar codi ar slap'. (Lle bach clyd ydi 'cithwal'.) Ar noson olau leuad llawn, y disgrifiad fyddai, 'mae'r lleuad yn *cneitio*'. Sarhad hefyd fyddai gofyn i neb ar fore Sul, 'Pwy oedd y *sgryfinllan* yna oedd efo chdi tua'r dre yna neithiwr?' Dyna nhw – sypyn bach o hen eiriau anghofiedig Pen Llŷn.

Roedd codi'n fore yn rhan bwysig o'r cytundeb ar y fferm. Dyna ichi arferiad gwerth ei ddysgu, ac un arbennig o werthfawr i ddarpar weinidog! Byddai galwad groch i godi am saith yn y bore. Aem yn syth i'r beudy ac yno y byddem yn godro â llaw am bron i ddwyawr. Fyddai dim yn well am 'stumog' nag aroglau tail a gwres y buchod ar fore oer o aeaf. Yno ar fainc y ffenest y mwynhaem wedyn blatiad o gig moch cartra hallt, gyda thafelli o dorth dan badell gartra, ac arnynt fenyn cartra yr un mor hallt â'r bacwn.

Roedd ffermwyr Llŷn yn llawer mwy cyndyn o symud efo'r oes a phrynu peiriannau na ffermwyr Môn a Dyffryn Clwyd. Mae'n rhaid bod y rheini'n gyfoethocach! Y peiriant cyntaf a ddaeth i Lŷn oedd y codwr gwair, a dyna 'yrrwr y caethion' os bu un erioed. Doedd gan hwn na chydymdeimlad na thosturi at neb, yn enwedig at was bach a ymdrenglai yn ceisio gwneud llwyth o donnau didor o wair. Diolch byth am fyrnau gwair y byddai'n rhaid cael peiriant pwrpasol i'w codi. Ond er mor hamddenol yn symud y byddai'r drol a'r ceffyl a'r wedd, eto fe lwyddem i gael y cynhaeaf i gyd i fewn mewn pryd.

Mae gennyf gof y byddai rhyw fath o ddathlu wedi cwpla'r ddau gynhaeaf – y gwair a'r ŷd. Fe roid cryn sylw i'r ysgub olaf, gan ei lluchio'n uwch na'r llwyth a dweud yn uchel, 'Am *hon* buos i'n chwilio ers dyddia!' I goroni'r dathlu fe ddeuai'r dyrnwr heibio. Gallaf glywed ei sŵn yn symud yn drwsgwl o le i le, ac archwaethaf ei aroglau unigryw. Roedd hwn fel y Pibydd Brith gynt yn tynnu plant yr ardal ar ei ôl. Ond nid plant yn unig a ddenai ond gweision cymdogaeth – byddai meistri tua hanner dwsin o ffermydd yn ffeirio gweision â'i gilydd, fel bod pob fferm â digon o ddwylo i helpu ar ddiwrnod dyrnu. Dyna felly esgus am sawl 'owting' blynyddol i'r gweision, a chyfleoedd da i weld y forwyn newydd yn y fan-a'r-fan – a honno, druan, yn gorfod wynebu'r genfaint reibus a lygadai bob modfedd ohoni.

Er mor galed fyddai'r gwaith yn y llwch gwenwynllyd ac afiach, fe anghofid y cyfan pan ddeuai'r alwad i ginio. Y cinio oedd gogoniant diwrnod dyrnu. Roedd cinio dyrnu yn un o brydau mawr y flwyddyn – ychydig yn uwch na chinio Sul a dim ond ychydig yn is na chinio Dolig. Yr un, bron iawn, fyddai bwydlen y cinio dyrnu yng nghegin pawb. Y prif gwrs fyddai asen gigog o eidion, yn gorwedd mewn tuniad enfawr o datws yn cydrostio yn yr un saim.

43

Yn wahanol i'r Sul, pwdin berwi a ddilynai wedyn, pwdin a fyddai'n drwm o siwat ac yn brin o flawd, ac wedi'i ferwi mewn cwdyn mawr cryf ym moiler y gegin foch. Fyddai hi ddim yn hawdd symud, heb sôn am drio gweithio, wedi'r fath drymfwyd.

Ond nid gwaith a gorffwys yn unig oedd bywyd gwas ffarm. Caem noswyl am hanner awr wedi chwech bob nos, a phnawn Sadwrn a Sul yn rhydd, fwy neu lai. Roedd y penwythnos yn werth edrych ymlaen ato. Arferem ddweud wedi godro bnawn Sadwrn: 'Sadwrn bwt a Sul wrth ei gwt'. Wneid dim gwaith ar y Sul ac eithrio pethau cwbwl angenrheidiol fel godro a tharo llygad ar yr anifeiliaid. Tua dechrau'r ganrif ddiwetha roedd mynychu oedfa ar y Sul yn amod y cyflogi mewn ambell fan, ac er i hynny lwyr ddiflannu erbyn canol y ganrif, byddai'r gweision heb gymhelliad na chonsgripsiwn yn mynychu oedfa nos Sul.

Yn y galeri fechan ar dalcen pella capel Rhyd-bach mi gofiaf weld tair setiad yno o weision ffermydd glannau afon Soch. Byddai gan bawb siwt Sul, a fyddai wiw ei gwisgo ond i'r capel. Erbyn i mi ymuno â'r gynulleidfa hon roedd y cyfrif i lawr i ddwy setiad, ond bu eistedd lle'r eisteddai'r bechgyn hyn ac ymuno yn eu hwyl a rhannu eu problemau yr addysg orau a ges i erioed ar bregethu. Roedd y ffaith bod pregethwrs da fel Terry Thomas, Abererch, a Ieuan James Owen, y Bwlch (Abersoch), yn chwarae ffwtbol i dîm Pwllheli o fantais ddiamheuol iddynt efo hogia'r galeri. Soniais eisoes am apêl ryfeddol Tom Nefyn a'i lais tenoraidd. Ffefryn arall gennym oedd John Roberts, y Garth (Porthmadog), fyddai'n pregethu'n llawn tân ond â gwên ar ei wyneb.

Ond er pwysiced y Sul, nos Sadwrn oedd coron yr wythnos! Byddem yn lladd nadroedd o brysur yn y ffordd y gwnaem ein hunain yn weddus i fynd i'r dre ar y bỳs chwech. Fyddai yna ddim llawer o ddewis yn wardrob y llofft stabal. 'Dillad ail' fyddai gwisg y dre – trowsus fflanel a'i odre'n llawn a llipa, gyda phwlofer o ddyddiau ysgol a hen grysbas siwt yn rhy dynn o ddim rheswm. Byddai'r pot rhyfeddol hwnnw o enaint gwyn, y brylcrîm, ym mhob llofft stabal erstalwm. Yn ôl Huw o Nefyn, roedd yna ddigon o rin yn hwn i dynnu pob merch o Gaernarfon i Bwllheli – 'cym'ra bwyll efo'r stwff yna, gwesyn'! Wedi eneinio'r pen yn dda, lledaenid coler y crys wedyn dros goler y got. Doedd wiw gwisgo tei, rhag ymbarchuso.

Dau brif reswm yr ymweliad wythnosol â'r dref fyddai chwilio am gariad neu gyfarfod â chariad. Mi fyddai'r chwilio'n llawer mwy diddorol a rhamantus na'r cyfarfod! Llifai strydoedd y dref o bobol, yn ferched ac yn fechgyn, a'r mwyafrif ohonynt yn y cyfnod rhwng y ddau ryfel yn weision a morwynion ffermydd Llŷn ac Eifionydd, a chyda'r blynyddoedd fe ddaethom i ryw frith adnabod ein gilydd i gyd.

Ar ôl cyfarfod â'r cariad, neu fachu un newydd sbon, tyrrem i'r Palladium neu i Neuadd y Dre – dwy synagog fawr y pictiwrs – a byddai'n rhaid ciwio er mwyn sicrhau lle. Roedd y sicrhau lle yma'n beth pwysig iawn: beth ar wyneb y ddaear a wnâi neb efo merch (ddieithr gan amlaf) yn nhref Pwllheli am ddwyawr a hanner? Safem yn rhes hir o gyplau deuryw. Wrth nesáu at y cwt colomen byddai'r merched i gyd yn cilgamu gan ein gadael ni'r bechgyn i wynebu'r gost. Roedd gwraig y doll yn ein hadnabod wrth ein henwau, fel y byddai gweinidog yn adnabod ffyddloniaid y Seiat erstalwm. Roedd tri dewis o seddau – y rhai hanner coron (afresymol o bris i was ffarm), y rhai swllt a naw (ein dewis ni), ac yna'r seddi naw ceiniog. Mi fûm i'n holi droeon wrth ddringo'r grisiau llydan yn y Town Hôl, 'Ydi hon yn *werth* swllt a naw?'

Yno'r eisteddem yn y seddau moethus, meddal, fel wyau mewn bocsys; pawb â'i gymar wrth ei ochr, naill ai'n gyffrous o newydd neu'n ddiflas o gybyddus. Yn ddiarwybod o araf dacw'r golau'n dechrau machludo i roi cyfle inni weld y llun yn gliriach, neu gyfle i droi at y cymar i'w hedmygu yn y tywyllwch. Ymhen sbel sleifia criw i mewn i'r seddau naw ceiniog – y rhai 'na ddaliasant ddim', ond na fynnent er dim i neb wybod hynny.

Ar derfyn yr oedfa, byddai hogia'r wlad yn codi'n reit swnllyd, heb gymaint ag ymuno i wrando'r anthem 'genedlaethol'. Roedd sesiwn ola'r noson yn galw – siop tships Joni Pendraw. Croesem y dref gan ddilyn ein gilydd fel defaid ar grwydr. Yr un fyddai'r archeb bob wythnos – yn wir, roedd yr holl beth mor sefydlog fel y gwyddai gwraig y siop beth fyddai anghenion pawb – gwerth chwech o tsips, pysgodyn a chnegwarth o bys slwtsh, ddwy waith . . . Mi wela i'r cydad cyntaf yn mygu'n braf dros y cownter seimlyd, a'r pys slwtsh yn diferu dros y 'sgodyn fel lafa ar losgfynydd. Rhoddem yr hwyrbryd ar linteri ffenestri'r stryd, yn diferu o finegr a saim trwy waelod brau y cwdyn papur. Yna i olchi'r cyfan byddem yn rhannu poteliaid o Vimto rhyngom ein dau. Doedd gwaharddiadau glanweithdra ddim yn bod bryd hynny ac o ganlyniad fe gaem dragwyddol lonydd i fwynhau un o brydau mwyaf blasus yr wythnos am swllt a dwy yr un. Gyda'r cydau seimlyd gwag yn ymlid ei gilydd ar hyd stryd y dre, diflannem i ddal y bỳs dwytha – bỳs deg o'r gloch. Roedd tafarndai'r dre wedi cau ers awr! Roedd deg o'r gloch yn hwyr iawn, iawn erstalwm – ond beth oedd yr ots? Doedd yna neb i'n cwestiynu yn y llofft stabal, boed hi awr y bo.

Os oedd y penwythnos yn binacl yr wythnos roedd pentymor yn bwysicach wedyn, a chaem gyfle i ddathlu'r achlysur yn y ffair pentymor ym Mhwllheli. Caem ein talu – tâl tymor o chwe mis – ar y noson cyn y ffair. Wedi swper byddai'r giaffar yn ein galw i'r parlwr bach, ac yn talu inni efo siec. Cofiaf yn dda fynd â'r siec i'r banc ac agor cyfrif am y tro cyntaf erioed. Cerddwn o'r banc fel cadfridog balch, ac i ganol llifeiriant pobol y ffair. 'Tydi rhyw chydig o arian yn troi'n chwilen i'r penwan?

Cynyddodd y cyfrif hwnnw i bum can punt ymhen wyth mlynedd, a bu'n gaffaeliad mawr pan fu imi arallgyfeirio'n ddiweddarach.

Erbyn diwedd y pedwardegau roedd llawer o fri a hwyl y ffeiriau ac ati wedi'i golli. Cyn hynny arferid dathlu achlysuron fel noson ola'r tymor pan fyddai gwas yn ymadael i fferm arall neu'n mynd i briodi a chael cartra, ag alawon gwerin neu faledi. Trosglwyddid nhw ar dafod leferydd o genhedlaeth i genhedlaeth, llawer ohonynt yn cyfeirio at droeon trwstan yn yr ardal, ac eraill yn gerddi cwyno a phrotestio. Cyfeirio at fwyd gwael y llofft stabal ar ryw ffarm y mae hon, reit siŵr:

> Rhowch y crochan ar y tân
> A phig y frân i ferwi;
> Torrwch ddarn o glust y gath
> A darn o gynffon milgi.
> On' toedd o'n botas o gig da?
> On' toedd o'n dda mewn difri?

A hon wedyn:

> Ffarwél i Fegi'r fwldog,
> Ffarwél i Ifan fain,
> Ffarwél i'r frechdan driog,
> Ffarwél i'r gwely chwain.

O ganlyniad i'r newid disymwth a ddaeth ym mhatrwm bywyd gwas ffarm hefo dyfodiad rhyw beiriant neu'i gilydd at bob gwaith, fe gollwyd cryglwyth o'r alawon a'r baledi hyn. Diolch i'r *Herald Cymraeg* rhwng y ddau ryfel byd am gyhoeddi gweithiau hen feirdd gwlad fel Ianto Soch, ond roedd hi'n rhy hwyr i achub cynhyrchion y llofft stabal. Diolch fyth, roedd ychydig esgyrn eira o ambell gân yn dal heb ddadmer yn oes Harri, fy mrawd, a minnau rhwng 1945 ac 1953.

Mi fyddai Harri'n codi to yr hen lofft wrth ganu rhai penillion o 'Gerdd Bach-y-Saint' ar noswyl y ffair. Mae'n siŵr gen i mai'r gân hon a fu'r un fwyaf poblogaidd yn llofftydd stabal Llŷn, ac fe'i mabwysiadwyd fel symbol o brotest yn erbyn caledfyd y gwaith a'r llofft, ac yn enwedig yn erbyn y 'rhesel' (fel y gelwid y bwrdd bwyd, oherwydd prinder yr hyn a roid arno i'r gweision mewn sawl fferm). Credir mai un Robin Fawr o Fynytho oedd awdur y gân, tua diwedd y bedwaredd ganrif ar bymtheg. Gan iddi gael ei mabwysiadu gan weision pob llofft stabal bron yn Llŷn, mae'n naturiol y byddai tipyn o amrywiadau iddi. Dyma'r ddau bennill a ganai Harri – fersiwn ffermydd glannau afon Soch, fel y cofiwn ni'n dau hi:

Ffarwél i'r hen Ddic Neigwl
A'i wely trwmbal trol
Lle bûm i lawer noson
Yn ddigon gwag fy mol,
A chig yr hen hwch focha
Yn wydyn a di-flas,
Ond mi wyddoch am Dic Neigwl,
Gŵr calad wrth 'i was.

Ffarwél i dynnu rwdins,
Ffarwél i'r gaib a'r rhaw,
Ffarwél i'r gaseg dena
Sy'n gorfadd yn y baw.
Ffarwél i'r tarw penwyn,
Ffarwél i'r ceffyl glas,
Ffarwél i Richard Neigwl,
Gŵr caled wrth 'i was!

(Neigwl Plas ym mhen Porth Neigwl yw'r 'Neigwl' sydd yn y darlleniad yna o'r gân. Roedd hon yn un o ffermydd mwyaf gwlad Llŷn, gydag wyth o weision yn ei llofft stabal erstalwm.)

Agorwyd pennod newydd yn hanes llofft Neigwl Uchaf pan ddaeth Harri yno yn 1949, a chawsom ein dau bedair blynedd difyr tu hwnt yn dilyn hynny. Mae yna rywbeth arbennig iawn mewn cyfeillgarwch dau frawd, ac roedd hyn yn wir am Harri a minnau. Roedd canu'n anadl einioes iddo a'r llofft stabal oedd ei stafell ymarfer.

Crwydrai Ben Llŷn, ei hyd a'i lled, i'r mân eisteddfodau, gan ddychwelyd adra'n hwyr y nos (neu'n gynnar y bore) ar ei feic. Pa un bynnag a fyddai wedi ennill neu golli, mi fyddai'n canu dros y wlad, gan ddeffro'r brain yng nghoed Gelliwig heb sôn am ei frawd a rannai'r llofft ag o. Gan nad oeddwn i'n disgleirio fel canwr, at adrodd y trois i. Fel Harri, ces innau flas ar berfformio, a lle i ddiolch i ambell feirniad am air o symbyliad a chanmoliaeth.

Ar wahân i'w gwerth diwylliannol, bu'r Eisteddfodau hyn yn fodd hefyd i hybu sawl carwriaeth. Rwy'n cofio cychwyn adra o Steddfod y Grempog, Rhos, mewn hwyliau da, wedi ennill ar y Prif Adroddiad efo 'Seimon Fab Jona'. Wrth balfalu am fy meic yn y twllwch, clywais lais crynedig merch o'm hôl:

'Chdi sy 'na, Emlyn Lôn? Fasat ti ddim yn 'y nanfon i adra? Ma tsiaen 'y meic i'n llac fel lein ddillad ac yn disgyn oddi ar y sbrocad – ac ma gen i ofn.'

Pwy fedrai wrthod y fath gynnig, a be oedd ots ei bod hi mor hwyr? Collais gyfrif sawl gwaith y bu'n rhaid i mi benlinio i roi'r tsiaen oedd yn diferu o oeliach budur yn ei hôl, a'r hogan yn fwrn efo'i diolch di-baid a'r seboni am fy adrodd. Daethom i olwg Mynydd Mawr ac Anelog. Penliniais, eto byth, i blethu'r tsiaen am y sbroced bigog. A minnau yno ar fy ngliniau daeth llais trwm o'r nos: 'Lle ddiawl wyt ti wedi bod, hogan?' Cydiais yn fy meic efo 'nghrafangau budron a'i bachu hi am adra, gan ddistaw sibrwd wrthyf fy hun:

Paham y gadewaist dy rwydau a'th gwch,
Fab Jona, *ar antur mor ffôl.*

O'r Llofft i'r Llyfrau

Dod i benderfyniad

Rwy'n cofio dweud wrth Harri 'mrawd, rhwng difri a chwarae, yn y llofft wedi noswyl rhyw noson, 'Mi ydw i am fynd i'r weinidogaeth, Harri.' Daeth ei ateb fel bwled: 'Arglwydd annw'l, nag wyt debyg!' Nid nad oedd Harri'n credu fy mod yn gymwys i'r fath swydd: gwybod roedd o nad oedd dringo o ris i ris yn gymdeithasol yn beth oedd yn digwydd, rywsut, yr oes honno. Onid oedd Plato fawr ei hun wedi'n rhybuddio y dylai pawb fodloni ac aros yn ei rych?

Bywyd braf, er ei symled, oedd bywyd gweision ffermydd yr adeg honno – bywyd heb ryw lawer o gyfrifoldebau na phenderfyniadau yn perthyn iddo. Byddai'r bwyd ar y bwrdd bob pryd heb i neb fod wedi ymgynghori â ni yn ei gylch, a fyddai dim rhaid poeni am raglen waith gan y byddai honno'n fwy na llawn ar ein cyfer bob dydd. Yn oriau prin ein hamdden, wedyn, ychydig iawn o ddewis oedd gennym na phenderfyniadau i'w gwneud. Mae'n wir y caem ddewis bob pentymor i aros yn ein lle neu symud i le arall, ond doedd yna fawr o wahaniaeth rhwng ffarm a ffarm mewn gwirionedd. Roedd yna un penderfyniad o gryn bwys i ddyn ifanc ei wneud, wrth gwrs, sef dewis gwraig, ac eto doedd y maes hela i chwilio am honno ddim yn eang iawn chwaith: âi neb yn bell iawn ar gefn beic yng ngwlad Llŷn erstalwm ac o ganlyniad hogan leol fyddai'r dewis gan amlaf.

Nid ar chwarae bach, yn sicr, yr oedd rhywun yn gadael gwaith sefydlog a thorri cysylltiadau â pherthnasau a ffrindiau. Roedd sefydlogrwydd a pharhad mor bwysig ar ddechrau'r pumdegau. I'r rhelyw o blant, bellach, symudiad rhwydd a chwbwl naturiol ydi gadael ysgol i fynd i goleg – yr un awyrgylch sydd i'r ddau le. I lanc dwy ar hugain oed fu'n gweini sawl tymor wedi gadael yr ysgol, ac a oedd wedi anghofio mwy nag a ddysgodd yn honno, roedd hwn yn homar o benderfyniad i orfod ei wneud! Ond wrth edrych yn ôl, rwy'n ymwybodol ei bod hi'n hawdd iawn rhamantu ynghylch fy mhenderfyniad i i fynd i goleg ac i'r weinidogaeth. Rwy'n digwydd credu ei bod yn gymaint galwad i fynd i'r llofft stabal yn y lle cynta ag a oedd hi o alwad imi ei gadael. Mae'n debyg hefyd y bûm yn hogi'r arfau heb yn wybod drwy'r blynyddoedd, felly nid rhyw huddugl i botes o brofiad oedd o. Glynais wrth Ysgol Sul a seiat ar ôl gadael yr ysgol heb fod unrhyw raid arnaf, gan fwynhau cwmni a chymdeithas rhai llawer iawn hŷn na mi.

Ar y ffordd o'r seiat un nos Wener, a finnau wedi gadael yr ysgol ers yn agos i ddwy flynedd, gofynnodd D. R. Griffith, prifathro'r ysgol uwchradd, a fuaswn i'n galw yn Nhŷ'r Ysgol y nos Lun ddilynol. Roeddwn yn reit bryderus ynglŷn â'r gwahoddiad – beth ar wyneb y ddaear oedd ganddo mewn golwg yn rhoi'r fath wahoddiad i dipyn o was ffarm? Mae'n wir ein bod ni bawb ar yr un gwastad mewn oedfa a seiat, ond gwahoddiad i fynd i'w *gartra* ac yntau'n 'sglaig yn y clasuron? Pan ddaeth nos Lun, curais yn bryderus ar y drws, a chael gwahoddiad i lyfrgell yr athro. Bu'r olwg ar y fath lyfrau yn ddychryn i mi. Cyn imi gael cyfle i ddyfalu ymhellach, eglurodd fy hen brifathro bwrpas y gwahoddiad: 'Rwyf am i chi ddechrau darllan,' meddai, a gafael mewn pecyn o lyfrau Cymraeg oddi ar y bwrdd mawr. 'Mae yma bedwar llyfr, ac rwyf am i chi eu darllan i gyd a'u dychwelyd bythefnos i heno.' Yna tynnodd ei watsh o boced ei wasgod a rhoi rhyw hanner weindiad iddi – arwydd, debyg, i mi godi a mynd. Cymerais y llyfrau gan ddiolch ar gefn diolch, ar hyd ac ar draws. Heb unrhyw eglurhad pellach, caeodd D. R. y drws ar fy ôl.

Daliais i gyfnewid llyfrau yn gyson fel hyn am rai blynyddoedd heb iddo erioed fy nghymell i fynd ymlaen am addysg bellach. Magodd hyn archwaeth ynof am ddarllen, a miniogodd y darllen fy meddwl. Deuthum yn fwy hyf a hyderus mewn seiat ac yn llawer mwy cegog mewn Ysgol Sul. O dipyn i beth megais gydwybod cymdeithasol ac fe ddyfnhaodd fy mhrofiad ysbrydol, a chawn hi'n anodd ar brydiau i gysoni yr hyn a wyddwn am sosialaeth efo fy nhipyn profiad ysbrydol. Daeth R. J. Derfel yn gryn arwr, ac un o'i emynau yn gyffes ffydd imi. Fe'm meddiannwyd â rhyw nwyd neu ysfa gref i bregethu – ysfa oedd ynof er yn blentyn, mae'n ddigon posib.

Rhwng popeth, fe gyrhaeddais at y penderfyniad i gynnig fy hun i'r weinidogaeth, ac er mor anffafriol oedd ffrwydriad Harri i'r syniad yn y llofft stabal, dyma fi'n mentro sôn amdano wrth Mam. Doedd hi ddim yn hawdd cael Mam ar ei phen ei hun ond mi lwyddais ryw gyda'r nos, a dyma gynnig arni. 'Mam, mi rydw i am fynd i'r weinidogaeth, ne' i bregethu, ne' rwbath.' Fu erioed ddatganiad pwysicach ar fy rhan yn cael ei gyflwyno mor garbwl a blêr. Ond mi oedd Mam yn deall yn iawn, ac eto rhyw annaturiol braidd oedd ei hymateb – am unwaith, roedd Mam yn fud! Cymysgfa o swildod a balchder, mae'n siŵr. Roedd hi'n perthyn i'r genhedlaeth honno a osodai bob pregethwr ar bedestal allan o gyrraedd pobol gyffredin fel hi. Teimlais ryw ddieithrwch rhyfedd rhyngof i a hi, ac am funud roeddwn yn gwbwl edifar imi sôn am y peth. Yn wir, fe'm temtiwyd i ollwng Mam o'i gwewyr a'i hysbysu, 'Na, cogio ydw i, Mam. Wnes i rioed feddwl am y fath beth.' Diolch byth na ddywedais i mo hynny, achos toc mi welwn lond dau lygad Mam o lawenydd a bodlonrwydd balch – a deigryn.

Doedd Nhad yn fawr o gapelwr, ac yn wahanol iawn i Mam mynnai ef liwiad eu rhagrith i bobol dda y Llan.

Ychydig iawn, iawn o bregethwyr y dydd a wnâi i Nhad deimlo ei bod hi'n werth newid o ddillad gwaith i ddillad Sul i droi allan i'w gwrando. Âi Mam mor bell â galw Nhad yn 'bagan' ar ôl dod adre o oedfa ar nos Sul, yn enwedig os byddai yno bregethwr da! Ond chwarae teg i Nhad, roedd wedi colli ei fam pan oedd yn blentyn bychan a chafodd ei fagu gan ei dad. Roedd hwnnw wedi cael ei drochi yn niwygiadau diwedd y bedwaredd ganrif ar bymtheg, a byddai raid i'r plentyn wrando ar weddïau 'gras bwyd' maith cyn pob pryd. Ond os na phlygai Nhad i allanolion ffurfiol crefydd, mi wyddwn i'n iawn fod ganddo afael sicr ar y 'Gwirionedd' a bu'n ddylanwad mawr arna i.

'Biti fod Mr Pritchard wedi 'madal odd'ma,' meddai Mam toc, mewn tôn ddigalon. 'Mi fasa'r dyn yma o hyd pe basa'r diawlad blaenoriad yna wedi chwilio am dŷ iddo.' A dyna'r unig dro y clywais i Mam yn rhoi teitl fel yna i flaenoriaid! 'Dos draw i Frynmawr at Hughes bach y gweinidog,' meddai hi wedyn yn ffrwcslyd, gan ddechrau ffwdanu ynghylch y busnes. Gweinidog wedi ymddeol oedd 'Hughes bach'. Ac yno'r es i – y noson honno! 'Y fi ddaru dy fedyddio di, ddwy flynedd ar hugain yn ôl,' medda fo – 'y bedydd cynta imi ar ôl dod yma yn 1931.' Daeth rhyw grac defosiynol i'w lais wrth iddo ychwanegu, 'Rwy'n *falch* dy fod ti am fynd i'r weinidogaeth.' Dyn hynod o ddeddfol oedd Edward Hughes, a pharchai bob coma o drefniadaeth y Methodistiaid. Heb sôn gair am fy nghymhellion na'm holi sut y ces i'r alwad, meddai, 'Mi drefna i daith bregethu i ti, a dos ditha adra i neud pregath.'

'Gneud pregath', wir – efo be? Doedd gen i'r un llyfr ar fy elw, dim ond Beibl a llyfr emynau. Beth rown i am awr yn llyfrgell Tŷ'r Ysgol! Ond roedd gen i destun a digon o syniadau, a rhwng Sarn Mellteyrn a Botwnnog ar y ffordd adre, fe ddaeth tri phen o rywle. Rwy'n dal i gofio'r testun a'r pennau dros hanner canrif yn ddiweddarach. Geiriau

Pedr – 'Arian ac aur nid oes gennyf . . . ' – oedd y testun, a dyma nhw'r pennau: 'Dyn wedi'i siomi' / 'Dyn a ddisgwyliodd am rywbeth mwy' / 'Dyn a obeithiodd am feddyginiaeth pan glywodd enw Iesu Grist'. Digon gwreiddiol, chwara' teg!

Yn ôl trefniant yr hen Hughes, Capel y Graig yn Abersoch oedd y man cychwyn. Roedd Mam yn fwy trwblus fyth wedi deall mai yno y byddwn yn traddodi'r bregeth gyntaf. Roedd hi'n fater o raid cael siwt raenus, gyda chrys gwyn a choler wedi'i startshio, ar gyfer *Abersoch*! Roedd aroglau cael ei chadw yn nhamprwydd llofft stabal ar y siwt, ac fe'm tagwyd yn gorn gan y goler a'r tei. Fu neb erioed mor anghyfforddus yn cychwyn i'w daith bregethu gyntaf.

Ar ôl padlo'n galed rhwng cloddiau uchel y ffyrdd troellog am dri chwarter awr, drwy wres Mehefin, cyrhaeddais Abersoch. Synnais o weld cynifer ar lan y môr a minnau'n pregethu yn y dreflan, a hynny am y waith gynta! Treuliais y munudau olaf cyn yr oedfa ymhlith blaenoriaid anghyfforddus o barchus ac, yn waeth na dim, aeth Emlyn Lôn yn 'Mr Richards'. Y fath newid! Aeth y blaenoriaid i'w lle arferol, ac fel asyn yn adnabod preseb ei berchennog euthum innau i'r pulpud. Codais, lediais emyn a thaflu cip ar y gynulleidfa. Synnais o weld cyn lleied oedd yno ond, diolch byth, roedd sedd y pechaduriaid yn llawn o gyfoedion ysgol i mi. Nid eu bod nhw'n fwy o bechaduriaid na'r lleill a eisteddai yno, ond yn amlwg ni pherthynent i deulu'r Graig. Bu hon yn awr ddirdynnol o hir i'r pregethwr ac i'r gynulleidfa. Roeddwn cyn falched â neb o weld y cloff yn sefyll ar ei draed ac yn dechrau rhedeg a dawnsio!

Teimlais yn ingol o unig y noson honno ar fy ffordd adre. Pellter parchusrwydd a phellter sedd y pechaduriaid oedd wedi 'ngadael yn unig. Diolch am gael mynd adra a theimlo pawb yn agos a phawb â'i gwestiwn. Faint oedd yno? Gest ti hwyl? Wnest ti weiddi dipyn bach cyn y diwadd? Wedi'r holi, dyma Mam yn gofyn yn dawel, 'Wnest ti'n iawn, 'y ngwas i?' Ac ar y diwedd, wedi i bawb orffen, holodd Nhad yn betrus, 'Faint gest ti am dy drafferth?'

Amcenais ateb y cwestiynau mor ffafriol ag oedd modd, gan lenwi'r seddau gweigion â'm balchder ac â'm dychymyg. 'O! roedd hi'n llawn iawn yno a chanu da iawn hefyd. Mi ddaru un blaenor fygwth porthi cyn diwedd y trydydd pen.' Yna tynnais bapur punt gwyrdd glân o'm poced cesail, ac mi dynnodd hwnnw wên i wyneb fy nhad. Profodd y papur punt y tu hwnt i bob amheuaeth fy mod i'n bregethwr go iawn.

Yn ddiweddar, anfonodd Wyn, Talafon, Abersoch, ddalen imi o ddyddiadur ei dad, Capten Williams – trysorydd Capel y Graig bryd hynny. Dyma'i gofnod am 21 Mehefin 1953:

> Bore: Rev. Howard Burton (*free*) casgliad £1 9s 1d
> Nos: Mr Emlyn Richards, ar brawf £1 0s 0d casgliad 14/8.

Mae hi'n amlwg y bu i'r Rev. Burton achub cyfeillion y Graig ar y Sul arbennig hwnnw – yn ariannol, beth bynnag! Euthum innau â'r gŵr cloff i holl gapeli'r dosbarth, a bu'n fodd imi gael fy nerbyn fel pregethwr ar brawf.

Ar sail fy nerbyn, fe'm cymeradwywyd i eistedd arholiad y Bwrdd Ymgeiswyr ac yna mynd o flaen y Bwrdd hwnnw yng Nghaer. Roedd yr arholiad mewn dwy ran: 'Gwybodaeth o'r Ysgrythur' ac 'Ysgrifennu Traethawd'. Bu 'ngwybodaeth o'r Beibl yn fodd imi lwyddo yn rhan gynta'r arholiad, a pha ryfedd – roeddwn yn dal i fod yn ddisgybl Ysgol Sul ac wedi'm trwytho mewn pregethu. Ond ches i erioed ymarfer mewn ysgrifennu traethawd a dysgu trefnu fy mymryn gwybodaeth yn baragraffau taclus. Yn wir, roeddwn fel buwch mewn adladd yn halffio'n farus ac yn flêr hwnt ac yma.

Gadawodd y trên hen orsaf Pwllheli am Gaer am hanner awr wedi saith, a'r Parch. Edwin Parry, Cricieth, yn disgwyl amdanaf. Ef oedd cynrychiolydd Llŷn ac Eifionydd ar y Bwrdd. Holais fy nghydymaith ar hyd y daith i Gaer ynghylch yr hyn a ddisgwylid gennyf gerbron y Bwrdd, a gyfarfyddai yn festri capel enwog Sant Ioan yng Nghaer. Fe arweiniwyd cryn ddwsin ohonom, fesul un, fel defaid i'r lladdfa, gerbron byrddaid o genhadon hedd mewn diwyg du a choler gron glaerwen. Daeth fy nhro innau. Safwn yno yn nerfus reit a'r rhain i gyd yn fy llygadu fel bwystfilod yn llesmeirio'u prae. Chwilotent yn ddyfal am fy anwybodaeth a minnau yno o'u blaenau fel un mewn dillad rhy gwta yn ymdrechu i guddio'i noethni. Ond diolch i gynrychiolydd Llŷn ac Eifionydd, mi ddaeth o i'r adwy ar awr gyfyng. 'Sut mae'r pregethu'n mynd?' gofynnodd, a chyn i mi gael cyfle i ateb holodd ymhellach: 'Beth ydi testun y bregath? Oes yna bennau iddi?' Roeddem wedi cael rihyrsal ar y cwestiynau hynny rywle rhwng Penmaen-mawr a Bangor ar ein ffordd y bore hwnnw! Mi ges eitha hwyl yn dadbacio'r bregeth, er mai fi sy'n dweud.

Wrth fy ngollwng, fe'm gorchmynnwyd i weld y doctor i gael archwiliad. Welwn i ddim llawer o sens mewn peth felly, achos, ac eithrio bod bron â llwgu, roeddwn yn teimlo'n holliach. Rhyw fudan sychlyd o ddyn oedd y doctor, nad agorai ei geg nes bod rhaid. Bu'n f'archwilio'n eitha manwl o'm gên i'm bogail, gan sgwennu'n frysiog fel pe bai wedi darganfod rhyw 'fadwch heintus. Wedi gollwng y bensel estynnodd imi ddysgl fechan o liw arian, digon tebyg i ddysgl jam fechan a welais gan Nain, gan fwmian rhyngddo ag ef ei hun, 'I must have a specimen of your water.' Cyfeiriodd fi heb ddweud yr un gair i fynd tu ôl i ryw balis o sgrîn yng nghornel y festri. Bûm yno'n hir iawn, iawn, a dim byd yn digwydd. Wrth gwrs, toedd festri Fethodistaidd ddim y lle delfrydol i weithred o'r fath. Ond llwyddais yn y diwedd!

Ar y ffordd adra fe'm sicrhawyd gan Edwin Parry bod y Bwrdd wedi'u boddhau yn fawr, ac y byddent yn argymell bod Cyfarfod Misol Llŷn ac Eifionydd yn fy nghyfarwyddo ynglŷn â chwrs addysg priodol, ond doeddwn i ddim i ddweud gair am hyn wrth neb!

Coleg y Bala

Yn 1953 symudwyd yr 'Ysgol Ragbaratoawl' ar gyfer darpar weinidogion enwad y Methodistiaid o'r Rhyl i'r Bala. Rhyw dipyn o sipsi fu hon, wedi cychwyn yn hen ysgol Eben Fardd yng Nghlynnog ac yna symud i'r Rhyl, o bob man yn y byd. Bu yno am dros ugain mlynedd cyn cyrraedd y Bala. Teimlai trigolion y Bala i'r symudiad yma israddio cryn dipyn ar eu coleg hwy. Yn lle bod yn fan lle cynhelid cwrs bugeiliol i hogi cryman myfyrwyr aeddfed, daeth Coleg y Bala yn ysgol i ryw sbrigod ifanc digon didoriad. Yma i blith y rhain y'm cyfarwyddwyd i i gymryd y cam cyntaf ar ysgol fy addysg.

Cefais gwmni difyr a chymar da i gychwyn i'r Bala, Iorwerth Jones Owen, ymgeisydd wedi treulio blwyddyn yng Ngholeg Clwyd y Rhyl, ond bellach yn symud i'r Bala. Roedd Iorwerth yn berchen ar Austin 7, ac yn y cerbyd hwnnw y teithiodd y ddau ohonom y noson braf honno ar ddiwedd mis Medi 1953. Cyrhaeddais Ben Cob, Pwllheli, yn brydlon gyda chês mawr newydd – nid coffor y tro yma! Wedi inni ein dau rowlio sigarét fain o faco Amlwch dyma gychwyn am y Bala, a phob milltir yn fy symud oddi wrth fy nghynefin a'm cydnabod ac oddi wrth fy myd bodlon a dedwydd. Wedi i'r dreifar gael tân arhosol ar ei sigarét, ymroes ati i'm holi a phob cwestiwn yn troi o gwmpas pregethwyr a phregethu. Nid yn unig roedd Iorwerth yn cofio darnau helaeth o bregethau pob pregethwr a gyfrifais yn ffefryn, ond medrai eu dynwared yn berffaith bron.

Cyn cyrraedd Afon-wen, ces ganiatâd i alw Iorwerth yn 'chdi'. 'Mi fyddwn yn cyd-fyw yn agos at yn gilydd o hyn ymlaen, cofia,' meddai, mewn tôn garedig. 'Rhaid inni beidio ymddwyn fel pobol ddiarth efo'n gilydd.' Ysgafnhaodd yr awyrgylch. Aethom trwy Gricieth a Phorthmadog dan gyfaredd pregeth R. H. Williams, ac mi daerwn mai'r seraff hwnnw oedd yn gyrru'r Austin 7. Yn gynnar ar yr allt serth i Lan Ffestiniog cafodd yr Austin bach ei gynnig olaf un – lô gêr. Teimlwn y gwres llethol yn codi o gyfeiriad yr injian ond, diolch byth, daeth awel fain y Migneint o rywle. Ar hyd yr anial noeth di-glawdd, teimlwn hiraeth am gloddiau uchel gwlad Llŷn. Wedi cyrraedd gwastadedd y Migneint fe newidiodd y gyrrwr i gêr uwch ac i bregethwr arall – John Williams, Brynsiencyn. Er na chlywodd Iorwerth erioed y pregethwr mawr hwnnw fuasai farw yn 1921, eto roedd yn ei ddynwared fel pe bai'n gwrando arno bob Sul. Cipiodd yr Austin 7 dros bont gul ar gyflymdra rhy uchel o lawer gan fod yna dro sgwâr rai llathenni oddi wrth y bont. Distawodd y pregethwr, rhoes y gyrrwr dro sydyn i'r llyw ac un wedyn y ffordd arall. Mae'n amlwg fod y car bach allan o bob rheolaeth a gwichfeydd fel mochyn bach yn codi o gyfeiriad yr olwynion. Daeth un o emynau mawr Pantycelyn ataf: 'Rhaid oedd bod rhagluniaeth ddistaw . . .'

Cyn i'r nos ein dal cyraeddasom Benygarth, plasty bychan yn swatio rhwng coed mawr talgryf, a chawsom groeso cartrefol braf a swper sawl seren. Cyn diwedd y pryd hwnnw dysgais rywbeth arall am fy nghymar – mi oedd o'n fytwr harti, a gwelais na fyddai yna ryw lawer o friwfwyd yn weddill ar ei ôl. Bu Penygarth yn gartref da i Iorwerth a minnau am y flwyddyn honno, gyda gofal Mrs Williams yn ddiarbed trosom er bod ei hiechyd yn bur fregus. Cawsom John Williams, y tad, a Hefin, y mab, yn ddau gyfaill diddorol gydag atgofion difyr am fyfyrwyr a fu yno'n lletya o'n blaenau.

Roedd Iorwerth a minnau'n cerdded i fyny rhodfa'r coleg cyn naw fore trannoeth ar y bore cynta, a Lewis Edwards ar ei gadair freichiau o garreg oer yn ein hwynebu fel pe bai'n dyfalu beth oedd wedi digwydd i'r hen Gyfundeb yn anfon rhyw blantos i hen athrofa enwog y Bala! Ymgasglodd rhyw bymtheg ohonom yng nghapel hynafol y coleg, ac wedi gair o groeso gan y Prifathro R. H. Evans a'i gyd-athro, y Parch. Hefin Williams, fe'n rhannwyd yn ddau ddosbarth – bechgyn yr ail flwyddyn a bechgyn y flwyddyn gyntaf. Ymhlith rhai'r flwyddyn gyntaf roedd yno eraill heblaw fi a oedd wedi gadael ysgol ers rhai blynyddoedd. Roeddwn yn falch iawn, a chredwn fod gobaith imi wedi'r cwbwl. Mae'n wir fod yno rai eraill a chanddynt stribedi o lwyddiannau o'r ysgol uwchradd. Ond gwyddwn yn dda am Huw Jones, a ddaethai i'r Rhyl o lofft stabal Tre'r Gof yng Nghemais, Môn, ac felly hefyd Trefor Jones (Caernarfon, wedyn), a gododd o lofft stabal Coed Drigain, Llangernyw. Fe dystiai'r ddau i'r feithrinfa fuddiol a gawsant dan gronglwyd yr hen lofft. Wrth gofio pethau fel yna, gallwn innau ddweud, 'Paham yr ofnaf mwy?'

Ond ow! roedd sawl mynydd i'w ddringo o'n blaenau. Un o'r mynyddoedd hynny yn siŵr oedd iaith y Groegwr ac iaith y Sais. Gyda help hwn ac arall o'r bechgyn, llwyddais i gasglu ynghyd rhyw lun o draethawd Saesneg i'r Athro Hefin Williams. Doedd gan hwn fawr iawn o gydymdeimlad â rhywun fel fi oedd bron yn gwbwl ddigefndir yn addysgol. Cefais alwad un bore, wedi gwers Saesneg, i'w weld yn ei ystafell a sylwais ar fy nhraethawd ar ei ddesg, yn glwyfedig drosto o farciau cochion. Roedd yn amlwg ei fod mewn tymer ddrwg a holodd yn Saesneg pwy a'm perswadiodd i ddod i'r coleg erioed. Y math hwnnw o gwestiwn nad oedd atebiad iddo, rywfodd. Rhoes gynnig arall arni – tybed a oedd modd imi ragori ar y traethawd anobeithiol ar ei ddesg? Roeddwn wedi 'nghlwyfo go iawn erbyn hyn a gwelwn y drws yn cau arnaf. Gadewais yr Athro a'r traethawd heb ddweud gair. Holais fy hun yn ystyriol iawn tybed a ddylwn derfynu'r cwbwl yn yr awr a'r lle, a mynd yn ôl i'r byd tawel a adewais?

Trefnais i weld y prifathro y noson honno i ofyn ei gyngor. Eisteddai R. H. a'i law dan ei ben, tu ôl i fwrdd mawr, i wrando fy stori. Pwysleisiais nad fy mwriad oedd dibrisio beirniadaeth yr Athro. Cododd y dyn bach ar ei draed a cherddodd o gylch y bwrdd gan fy sicrhau na fyddai'r un o'm traed yn gadael y coleg. Edrychai'n flin ac estynnodd draethawd oddi ar y bwrdd. 'Eich traethawd Ysgrythur chi ydi hwn,' meddai 'a dyma ydw i wedi'i ysgrifennu ar ei waelod – "Mae ynoch ddeunydd diwinydd da".' Eisteddodd. 'Cofiwch mai dyfal donc a dyrr y garreg,' meddai. 'Peidiwch â gadael i *Saesneg*, o bob iaith, fod yn faen tramgwydd ichi.' Mi dyfais rai modfeddi yn ei gwmni!

Ar ddiwedd y flwyddyn gynta yn y Bala, daeth dau newid a fyddai'n gryn golled i mi – colli Iorwerth a fu'n gymaint o gefn oedd un, a cholli Penygarth oedd y llall. Symudodd Iorwerth i'r Coleg Diwinyddol yn Aberystwyth ac fe wanychodd iechyd Mrs Williams fel na allai ofalu amdanom. Ond ar ôl blwyddyn yn y coleg, roeddwn wedi cael fy nhraed danaf yn go lew.

Dychwelais wedi gwyliau'r haf gyda phartner newydd, Robin o Nefyn, ymgeisydd am y weinidogaeth a oedd am gwblhau blwyddyn o Lefel A. Roedd Robin (Robert Roberts) yn dipyn o bencampwr ar gae pêl-droed ac yn chwarae i dîm Nefyn. Yn bwysicach fyth roedd yn bregethwr unigryw ac yn hanu o dylwyth Tom Nefyn. Cawsom ein dau gartref cysurus ar aelwyd Bryntirion ar lan Llyn y Bala, heb fod nepell o hen Eglwys Llangywer lle'r oedd y Prifardd Euros Bowen yn gweinidogaethu. Roedd John Pugh, Bryntirion, yn ddyn llawer iawn rhy ddiwylliedig i fod yn fugail defaid. Treuliais oriau gyda Lowri Pugh, ei briod, yn pen grasu ac yn hel straeon.

Daeth Robin a minnau'n gyfeillion da efo'u merched, Gwen a Mair. Roedd Gwen ar y pryd yn rhyw ddechrau canlyn efo Aneurin, prif unawdydd Côr Godre'r Aran, a byddai dealltwriaeth rhwng Gwen a minnau y byddem yn mynd i wrando ar y côr enwog hwnnw lle bynnag y byddai'n perfformio yn y cyffiniau. Bu Morris 8 y stiwdant yn dacsi ffyddlon iddi! Deil ein cyfeillgarwch o hyd wedi'r holl flynyddoedd, ac yn ddiddorol iawn mae Gwen, Bryntirion, a Ceri, merch Penygarth (fy llety cyntaf), yn byw yn yr un stryd yn y Bala, a deil croeso imi ar y ddwy aelwyd hyd heddiw.

Trwy ddygnu arni cefais ryw fath o afael ar yr iaith Roeg, ac fe loywodd fy Saesneg ryw ychydig hefyd trwy gymorth Robin. Yn wir, cyn canol yr ail flwyddyn teimlwn yn ddigon hyderus i feddwl y gallwn wneud cais am fynediad i goleg diwinyddol y flwyddyn ddilynol. Ond torrwyd ar fy nghynlluniau pan alwodd y prifathro ar John Cynlas (John Davies Hughes) a minnau i'w weld o un ben bore, a'n holi'n fanwl am ein hoedran. Roedd John a minnau wedi'n geni yr un flwyddyn, a dim ond ychydig fisoedd yn ein gwahanu. Eglurodd y prifathro ein bod ein dau ar dir i gael cyfweliad fel myfyrwyr hŷn i'r Brifysgol. Roedd yr enw'n ddigon i'm rhewi am funud, ond rhoes y prifathro amser inni feddwl dros y peth tan drannoeth.

Roeddwn yn reit siŵr nad dyma'r llwybr i mi o'r Bala, gan nad oedd gennyf sgrapyn o ddim i brofi imi basio yr un arholiad erioed. Roedd y prifathro'n llawer iawn taerach drannoeth: mae'n amlwg iddo benderfynu dros nos ein bod ein dau yn rhoi cynnig ar y 'bwlch yr ail gynnig' yma. Cytunodd John a minnau nad oedd gennym ddim i'w golli; trefnwyd y man a'r lle a'r amser, a throes John Cynlas a minnau i gyfeiriad y porth cyfyng.

Cyfwelwyd ni yn yr ystafell Hebraeg ar Ffordd y Coleg ym Mangor un bore Sadwrn. Wedi hir ddisgwyl fe'm galwyd i i mewn. Wedi cyfarchion caredig yn Gymraeg ac yn Saesneg daeth y cwestiwn cyntaf mewn acen ddieithr braidd:

'How much Greek do you know?'

Atebais yn rhy bendant a balch:

'Quite a lot.'

Daeth ei ail gwestiwn:

'Do you find it to be a difficult language?'

'No, not at all,' meddwn, yr un mor bendant.

Mi fyddai'n llawer gwell pe bawn wedi gadael allan y 'not at all'. Sibrydodd y dyn rhyngddo ag ef ei hun – 'very unusual'. Cyn iddo gael cyfle i holi dim ymhellach, daeth cwestiwn wrth fy modd gan ŵr arall nad oeddwn yn ei adnabod.

'Am ba hyd y buoch chi'n gweithio ar y ffrm yn Llŷn?'

'Am wyth mlynedd,' meddwn, gan ymlacio'n braf.

'Oes tir da tua Llŷn yna?'

'Oes wir, da iawn, yn enwedig tua glennydd afon Soch,' meddwn gyda chryn awdurdod yn fy llais, yn y gobaith o hwyluso'r ffordd i gwestiwn arall a fyddai'n cau'r drws ar y Groegwr. Aeth yr holwr yn ei flaen fel pe bai yno neb ond ni ein dau, gan holi ymhellach pa fath o weiriau oedd yn fwyaf cyffredin yn Llŷn. Atebais yn gwbwl ddibetrus, 'Rye-grass parhaol a rye-grass Eidalaidd, Timothy a Cocksfoot, gydag amrywiaeth o feillion – dyna'r rhai mwyaf cyffredin,' meddwn, gan fawr obeithio nad âi ar ôl y gweiriau anghyffredin, gan na wyddwn ddim oll am y rheini.

Diolch byth, cychwynnodd yr Athro Bleddyn Jones Roberts siarad wedyn, yn garedig a chwrtais, gan hanner canmol fy menter.

'Faint ydi'ch oed chi?' gofynnodd.

'Rwy'n bedair ar hugain,' meddwn.

Teimlwn ryw awel o gydymdeimlad yn cau amdanaf. Wrth imi fynd allan, dilynwyd fi gan yr Athro Hebraeg, a holodd yn gellweirus, 'Ydach chi'n siŵr nad amaethyddiaeth garech chi ei wneud?' Goleuodd fi mai'r

Dr R. Alun Roberts oedd yr Athro y bûm mewn deialog amaethyddol ag ef!

Ymhen rhai dyddiau clywodd y Prifathro R. H. Evans fod y brifysgol wedi derbyn ymgeisyddiaeth John a minnau ar sail ein cyfweliadau. Rhyfeddais – a daliaf i ryfeddu – am hynny.

Wedi dwy flynedd hynod o hapus, os pryderus weithiau, yn y Bala, daeth fy nhymor yno i ben, a daeth yr amser i minnau fel yr hen fardd anhysbys hwnnw gynt ddweud yn ddigon hiraethus:

> Ffarwél i blwyf Llangywer
> A'r Bala dirion deg.

Y Coleg ar y Bryn

Cyrhaeddais y Brifysgol ym Mangor ddiwedd Medi 1955, a phenderfynu dilyn cwrs mewn Hebraeg, Groeg a Chymraeg. (Mewn gwirionedd, o'r holl bynciau a gynigid ganddi, dyna'r unig dri y gallwn amcanu eu dilyn!) Teimlwn ar goll yn lân yng nghanol y fath dyrfaoedd. Roeddwn yn adnabod pawb yn y Bala a phawb yn fy adnabod innau. Ym Mryntirion, byddai Gwen yn galw ar Robin a minnau i godi tua hanner awr wedi saith y bore: mi gawn gysgu am fis yn y fan yma heb i neb fy ngholli na malio yn fy nghylch!

Ar ôl setlo i lawr yn ein llety, teimlai Robin a minnau yn fwy cartrefol o lawer. Roedd John Cynlas yn lletya yn rhif 14, a Robin a minnau yn rhif 10. Bu cryn dramwy rhwng y ddau dŷ, yn enwedig gan fod Hefin, cymar John, yn hen ffrind gwyliau haf i mi. Deuai Hefin at ei ewythr a'i fodryb i Fronllwyd, led cae o fy nghartra, yn ystod y gwyliau. Fu erioed blentyn anwylach na Hefin a hiraethwn wedi iddo droi am adra i Nantgwynant. Daeth maes o law yn ysgolhaig neilltuol mewn peirianneg, a bu'n help mawr i mi ym Mangor gan roi llawer iawn o hyder imi drwy ei gyfeillgarwch â mi.

Roedd yna fwy o Annibynwyr nag o Fethodistiaid yn dilyn y cwrs Groeg – er nad oedd yr un ohonynt, mwy na finnau, yn Roegwyr da. Darlithoedd i'w cofio oedd y rheini, a hynny am y rhesymau anghywir. Daw sawl enw'n ôl imi wrth gofio'r amser hwyliog gynt. Un ohonynt oedd Elfed Lewis – Elfed Bach. Pwy allai ei anghofio? Eisteddai'r Annibynwyr fel y pechaduriaid yn y sedd gefn, gan adael gagendor llydan rhyngddynt a'r 'swotiaid' awchus, ond gan fod pen yr Athro Groeg yng nghymylau'r seithfed nef wyddai o ddim *fod* yna Annibynwyr yn ei ddarlithoedd, nac am fodolaeth yr ychydig Fethodistiaid yn eu plith. Mi gefais fy nerbyn yn garedig iawn gan y criw o 'Bala-Bang', er mawr fwynhad (a dirfawr golled!) imi. Mi fedrai Elfed a Hedley Gibbard droi ambell ddarlith feichus a sych yn fwynhad pur. Cofiwch, fe geid hefyd ddynion o galibr R. Alun Evans ac Elwyn o'r Rhos yn y sedd gefn o bryd i'w gilydd, ond tydw i ddim yn credu eu bod hwythau yn Roegwyr disglair iawn chwaith!

Rwy'n cofio gwneud ymdrech i bellhau oddi wrth y pechaduriaid hyn a rhoi pen ar waith i geisio elwa o'r darlithoedd. Fe'm hwynebwyd un prynhawn, cyn i'r darlithydd gyrraedd, gan Elfed yn cibo dros ei sbectol ac yn pwyntio'i fys ataf. 'Frawd,' meddai yn bregethwrol, 'wy'n dechre poeni yn dy gylch di – 'ti'n dechre cymryd y Groeg yma ormod o ddifri. Cofia di, poeni am dy *ened* di odw i.' Pwy ond y Cawr ar Goesau Byr allai droi bob sefyllfa'n ddrama? Ond mi ddaliais ati i ymdrechu ymdrech deg i ddod i delerau â'r iaith Roeg. Cefais fenthyg nodiadau twt a thaclus Alan Wyn o'r Cremlyn, a bu ei amynedd a'i gymhellion distaw o yn symbyliad imi ddygnu arni.

Roedd yr Adran Hebraeg yn llawer llai, ac yn fwy o ddosbarth o ymgeiswyr i'r Weinidogaeth o *bob* enwad.

Yma y deuthum i adnabod Haydn James a oedd yn weinidog gyda'r Bedyddwyr ar eglwys Saesneg Penrallt, Bangor. Roedd Haydn a minnau o'r un cefndir yn union, ein dau wedi gweini sawl tymor, y naill ar ffermydd Sir Benfro a'r llall ar ffermydd Llŷn. Roeddem ein dau yn smocio sigaréts o waith ein dwylo'n hunain ond roedd gwahaniaeth yn y ddau faco, a llwyddodd Haydn i'm troi o faco Amlwch i faco Sant Julian! Ond roedd un gwahaniaeth mwy amlwg fyth rhyngom – roedd Haydn yn un o'r ysgolheigion Hebraeg disgleiriaf a welais yn holl gyfnodau fy addysg. Graddiodd yn y dosbarth cyntaf mewn Hebraeg, a chafodd radd BD gyda rhagoriaeth yn ddiweddarach.

Roeddem yn ffodus ryfeddol ym mhennaeth yr Adran – yr Athro Bleddyn Jones Roberts – a oedd yn un o ysgolheigion Hebraeg blaenaf Prydain, ac eto mor agos atom ac mor wylaidd. Roedd Dafydd ap Thomas yntau'n ieithegwr nodedig iawn a chanddo ddull hamddenol hawdd i'w ddilyn. Dyma ddau ddarlithydd a ymddiddorai lawn cymaint yn eu myfyrwyr ag yn eu pwnc, ac enillai'r ddau ein parch ni i gyd.

Bu Adran Gymraeg Bangor yn dra enwog drwy'r blynyddoedd, gydag Ifor Williams yn dilyn John Morris-Jones, a rhai fel Thomas Parry, T. H. Parry-Williams a Robert Williams Parry yn ddarlithwyr athrylithgar ynddi. Parhaodd y traddodiad gyda'r Athro J. E. Caerwyn Williams, ysgolhaig arbennig iawn, ynghyd ag Enid P. Roberts a Geraint Gruffydd, a'r llenor a'r dramodydd, John Gwilym Jones.

Roedd John Gwilym yn gryn ased i'r Adran, gyda'i ddull a'i ddawn unigryw i'n cael i werthfawrogi llenyddiaeth a barddoniaeth. I amryw ohonom bu ei ymdrafferthu i'n dysgu i ysgrifennu'n dda yn gymwynas werthfawr. Dysgodd ni i werthfawrogi gwerth gair, gan ddyfynnu'n gyson – a hyd syrffed! – o waith Kate Roberts. Pwysleisiai hefyd bwysigrwydd cydio paragraff wrth baragraff. Yn fy marn i, fe lwyddodd John Gwilym yn well na neb i'n denu at y pwnc ac i'w fwynhau. Fe lithrai ambell ddarlith trwy ddwylo'r darlithydd weithiau gan droi'n seiat hen ffasiwn a phawb o'r dosbarth yn ysu am gael ei big i mewn. Mwynhâi sathru traed ambell Galfin yn y dosbarth ar y cwestiwn o etholedigaeth gras. Â'i dafod yn ei foch, holai John Gwilym beth oedd *ots* beth a wnâi dyn os nad oedd wedi ei ethol – colledig a fyddai yn y diwedd! Mi fyddai ambell un, mwy beiddgar na'i gilydd, yn meiddio beirniadu'r darlithydd am ddarllen gormod i mewn i waith Kate Roberts neu R. Williams Parry. Mwynhâi gystwyo'r beirniaid bach hynny, a byddai'n anodd iawn i neb ei drechu yn ei hoff faes, beirniadaeth lenyddol.

O ran y myfyrwyr, roedd yn ein dosbarth ni'r flwyddyn honno fyfyrwyr neilltuol iawn, a daw i'r cof ar amrantiad enwau rhai ohonynt, fel John Rowlands o Drawsfynydd, R. Alun Evans, a Wenna o'r Groeslon.

Yn anffodus, ychydig o fywyd cymdeithasol y coleg a gefais gan fod y gwaith yn hawlio fy amser yn llwyr er mwyn ceisio cadw 'mhen yn uwch na'r dŵr. Cenfigennwn wrth y rhai a fanteisiai ar y bywyd hwnnw: llwyddodd sawl un i wneud enw iddynt eu hunain mewn sawl maes. Ond roedd gennym fel ymgeiswyr y Methodistiaid ein cymdeithas ein hunain. Fe'm galwyd i dîm ffwtbol y gymdeithas, unwaith yn unig, am nad oedd gennym ond un ar ddeg o aelodau. Tri ohonom yn unig a fedrai chwarae – Alan Wyn, Robin a Dic Glansoch – a Wil Huw, a *gredai* y medrai! Ond os unwaith y cefais y fraint o fod yn y tîm, fe'm dewiswyd yn ysgrifennydd y gymdeithas am dymor. A chyda llaw, gan mai i law'r ysgrifennydd y deuai pob gwahoddiad i lanw pulpudau'r wlad, hon oedd y swydd bwysicaf o ddigon. Câi'r ysgrifennydd ei ddewis o'r braster i gyd! Ond er imi fod yn barchus odiaeth o Mr Evans, postfeistr Bangor Uchaf ac ysgrifennydd Capel Twrgwyn, chefais i ddim gwahoddiad i'r pulpud hwnnw erioed.

Trefnwyd encil ym Mhenmaen-mawr ar ddechrau un flwyddyn i ni gael ymlacio'n iawn. Cawsom yno ddarlithoedd beichus a thrwm a fu'n bopeth ond cyfrwng inni ymlacio. Daeth Wil Huw o hyd i reswm – neu esgus – dros adael yr ail noson, gan fod raid iddo fynd i Fangor. Er imi gynnig yn daer ei yrru yno, mynnai Wil fod rhaid iddo fynd ar ei ben ei hun, a chafodd fenthyg fy nghar. Wedi iddo adael Bryn Hedd y pnawn hwnnw, cofiais fod un 'amod' bwysig ynglŷn â brêcs y car – byddai'n rhaid pwmpio'n ddyfal ar y pedal cyn cael ymateb, gan mai brêcs heidrolig oeddynt – roeddwn wedi anghofio sôn am hynny wrth Wil. Pryderais drwy'r pnawn, a gwyddwn ar ei wyneb pan ddychwelodd y noson honno nad aeth pethau'n dda efo'r moto.

'Wyt ti'n dallt nad oes gen ti ddim brêcs ar y car yna? Mi fu jyst iawn imi daro dynas ar y sebra crossing ym Mangor.'

Ar ôl hanner canrif mae Wil yn dal i gofio'r brêcs! Rhwng popeth, enillodd yr hen Vauxhall hwnnw gryn enw iddo'i hun. Yn hwn y trafeiliem, wedi penwythnos yn Llŷn, yn ôl i'r coleg. Yr un pedwar fyddai'r llwyth yn ddieithriad – Harri Parri, Dic Glansoch, Robin Wern a minnau. Gan amlaf, Harri fyddai yn y sedd flaen. Un bore Llun a'r amser yn brin fe'n daliwyd y tu allan i Gaernarfon gan weithio ar y ffordd. Cyfarwyddid y traffig gan ddyn yn cyhwfan fflagiau coch a gwyrdd bob yn ail. Rhoes y dyn orchymyn inni aros â'i fflag goch, er nad oedd neb yn dod o'r ochr arall. Bytheiriai'r Methodistiaid ifanc gan orchymyn imi symud yn nes at ddyn y fflagiau. Cyn dim roedd y fflag goch yn nwylo Mr Parri; rhois inna fy nhroed yn drwm ar y sbardun, a gwelwn y dyn bach hanner gwallgo yn carlamu ar ôl y car. Dychwelodd Harri'r fflag iddo yn gwbwl ddiseremoni, trwy ei thaflu drwy'r ffenest. Mae'n drist meddwl nad oes ond Harri a minnau ar ôl o'r pedwar i ddweud y stori bellach.

Daeth tymor difyr Bangor i ben gydag arholiadau poenus. Roeddwn wedi bod yn bur bryderus ynghylch rhai o'r papurau, a hen brofiad diflas ydi hwnnw. Roedd yn fis Mehefin braf a Nhad wedi manteisio ar y tywydd ac ar y ffaith y deuwn i adra, ac wedi torri caeaid o wair. Yn y gwair yr oeddem ein dau; Nhad yn bryderus a ddaliai'r tywydd, a minnau'n llawer mwy pryderus ynghylch dedfryd yr athrawon. Clywais lais Mam yn galw – roedd gan bobol yr oes honno leisiau da cyn cael y gragen symudol yma – a gwelwn fod Evie o'r Post efo hi, a bod gan Mam deligram melyn yn ei llaw grynedig. (Roedd arnom ni *ofn* teligrams erstalwm!) 'Be 'di hwn?' meddai Mam, yn ffwndrus braidd. Agorais a chychwyn darllen, ond cyn imi orffen, meddai Evie: 'Rwyt ti wedi pasio, 'rhen foi.' Mi wyddai Evie'n iawn nad awn i i Fangor i nôl fy nghanlyniadau!

Y Coleg ger y Lli

Doeddwn i ddim am wneud Diwinyddiaeth ym Mangor, er bod yno Adran Ddiwinyddol wych gydag athrawon athrylithgar fel Gwilym Bowyer ac R. Tudur Jones. Roeddwn wedi rhoi fy mryd ar wneud cwrs diploma mewn Diwinyddiaeth – cwrs dwy flynedd – yn Aberystwyth. Ond fe newidiwyd y cynlluniau wedi imi ddechrau yno, a'm perswadio i gychwyn ar gwrs gradd. I wneud y cwrs yma roedd yn fanteisiol i fod wedi astudio Hebraeg, gan ei fod yn bwnc gorfodol. Mi lithrais i'r cwrs yng nghwmni cyfeillion newydd – Cynwil (Williams), Ben (D. Ben Rees), a Chledwyn (Williams) o Gaernarfon. Bu diddordeb Cynwil mewn pregethu a phregethwyr yn ddolen i'n cydio'n gyfeillion agos, ac roedd osgo boliticaidd Ben yn ddigon i'r chwith i ni baru â'n gilydd.

A diolch i Cledwyn, y myfyriwr diwyd, am ein hatgoffa'n gyson o'r cwrs diwinyddol! Treuliais y flwyddyn gyntaf mewn hoewal o stydi fawr ar ail lawr y coleg. Peter Trumper oedd un o'r tri ohonom oedd yno, actor wedi ei achub go iawn. Byddai Peter yn ein hatgoffa beunydd beunos o'r achubiaeth honno fel pe bai dim byd wedi digwydd yn ei hanes ers hynny. Dai Wynford oedd y llall. Safai Dai hanner ffordd rhyngom gan deimlo'n bur genfigennus o eithafiaeth y ddau ohonom. Fe'm daliwyd droeon rhwng y ddau pan fyddai Peter yn ymdrechu i drio achub Dai. Trwy amynedd llwyddais i oddef y ddau, er i Peter gydnabod na allai fy ngoddef i!

Ar ddechrau 1961 gadewais y *'Barn'* (dyna alwem ni'r lle, gan ei fod yn debycach i sgubor na thŷ), a gadael y ddau fyfyriwr. Trefnasom – Dora, y nyrs o Abererch, a minnau – i briodi, wedi canlyn am rai blynyddoedd. Ar fore teg y pedwerydd ar hugain o Fawrth, 1961, fe briodwyd 'Dorothy' a minnau yng Nghapel Isa, Abererch. Cynorthwywyd y gweinidog, y Parch. Hywel Hughes, gan fy nau gyfaill o'r coleg, Cynwil a Ben Rees.

Nyrs ar staff Ysbyty Bryn Beryl ym Mhwllheli oedd Dora, ac fel ei thair chwaer fe'i ganwyd hithau'n nyrs! Dilynodd ei galwedigaeth yn Ysbyty Bronglais, Aberystwyth, ac ymddiddorai'n fawr yn acen a geirfa ddieithr y Cardis. Cawsom fflat bach digon cysurus mewn stryd dawel yn y dref. Wrth edrych yn ôl ar y cyfnod anturus a hapus yma, rwy'n eitha siŵr y bu'r briodas yn gaffaeliad mawr i mi gwblhau'r cwrs. Yn y fflat y treuliom ni'n Nadolig cyntaf, ac ar noson yr Ŵyl roedd Dora druan yn gadael am hanner awr wedi saith i fynd ar stêm y nos ym Mronglais, lle cafodd noson drom iawn. Trois innau i wneud nodiadau ar lyfr L. H. Marshall, *The Challenge of New Testament Ethics*, gan mai Moeseg y Testament Newydd oedd fy mhwnc arbennig mewn Groeg. Hyn ar noson Dolig, meddyliwch!

Byddai Dora'n troi am Abererch pan gâi dridiau rhydd o'r ysbyty. Cofiaf yn dda y bore hwnnw y daeth y stori am blismon wedi'i saethu ar bont Machynlleth, ar lwybr Dora tuag adref. Doedd dim ffôn symudol na chiosg lle'r oedd ei angen yr oes honno. Ond cyrhaeddodd Dora'n saff yn Abererch, a daeth y byd a'r betws i wybod mai'r amryddawn Arthur Rowlands oedd y plismon a saethwyd mor drychinebus.

Erbyn diwedd 1961, y flwyddyn derfynol, roedd y gwaith yn trymhau a Dr Knox, yr Athro Hanes, yn dal i awgrymu llyfrau y dylem eu darllen, a'r Athro Enoch yn dal i godi sgwarnogod gan ein cymell ar eu holau. Yna, yn ychwanegol at bryder gwaith y coleg, pryderwn a ddeuai 'galwad' (i fod yn weinidog) o rywle ai peidio. Rhaid cofio mai oes 'dim dewis i gardotyn' oedd dechrau'r chwedegau i fyfyriwr o Fethodist a oedd yn ceisio codi galwad. Rhoesai Dora ar ddeall imi ers tro y deuai hi efo mi i rywle yn y byd mawr yma *ond* i 'Sowth Wêls' a Sir Fôn! A dyna sleisan go lew o'r map wedi mynd, o gofio mai ym Môn yr oedd y mwyafrif o Fethodistiaid.

Rhyw fore Llun fe dorrwyd ar ein hofnau a'n pryderon pan ddaeth gwahoddiad o Ddinmael a Glan'rafon, llefydd y bu i Robin (R. O. G. Williams) eu rhoi ar y map. Beth bynnag a wyddem am y ddeule hynny, gwyddem nad oedden nhw ddim yn Sir Fôn na Sowth Wêls! Eto, rywfodd, codai sŵn y môr yn Aber ryw amheuaeth ynom. Beth aflwydd wnaem ni'n dau mor bell o'r môr?

Cyn i'n hamheuaeth ddyfnhau mwy, daeth gair o ben draw Sir Fôn – o Fethesda, Cemais – lle bu'r Parch. Meurig Roberts (un â'i wreiddiau yn Llŷn) yn weinidog. Yn ôl rhai o fechgyn Môn oedd yn y coleg, yno hefyd y bu Llewelyn Lloyd, utgorn arian y pulpud Cymraeg. 'Cadw draw,' meddai un gwalch o'r ynys, 'mae ei ysbryd o yno o hyd'!

Cyn i Dora gychwyn am ei gwaith un noson, dyma eistedd i lawr ein dau i benderfynu ar y ddau aderyn mewn llwyn. Credwn i y byddai hon yn orchwyl digon hawdd gan fod yr aderyn o Fôn allan o'r gystadleuaeth. 'Ond gad inni jyst gweld lle *ma*'r Cemais 'ma,' meddai hi – a chwilio'r ynys drwyddi draw amdano ar y map.

'Dyma fo, wldi – yn y pen draw un ar lan y môr, a tydi o 'mond sbotyn bach fel pen pìn!'

'Ond dwyt ti'm isio dŵad i Sir Fôn!'

'Mae o reit ym mhen *draw* Sir Fôn, cofia.'

Diwedd y gân fu addo rhoi ystyriaeth i Gemais, a throi Dinmael i lawr.

Trefnais i bregethu yng Nghemais ar y Sul olaf o'r flwyddyn 1961. Cefais gryn drafferth i ddod i fyny o Aberystwyth oherwydd yr eira. Bu'n Sul oer a rhewllyd, ond erbyn oedfa'r nos fe droes y saint a'r pechaduriaid allan i wrando'r stiwdant ar brawf. Fe ddywedwyd wrthyf fwy nag unwaith na roes Bethesda erioed alwad i fyfyriwr o'r blaen! Ar derfyn oedfa'r hwyr fe'm hysbyswyd fod y Pwyllgor Bugeiliol yn cyfarfod yn syth ac y cawn innau fwynhau paned wrth y tân yn y tŷ capel. Prin fy mod wedi gorffen y baned pan ddaeth galwad imi fynd i ystafell y blaenoriaid, a chyn imi lawn eistedd cyhoeddodd y llywydd, y Parch. J. S. Roberts, fod y pwyllgor yn unfrydol o blaid estyn galwad i mi. Gan fod fformiwla pwyllgor yn hollol ddieithr i mi, atebais yn ddidaro, 'Wel, diolch yn fawr ichi, ac mi rydw innau'n derbyn eich galwad.' Edrychodd pawb yn syn arnaf, yn enwedig y pen blaenor, 'laswn i. 'Na!' meddai. 'Ewch chi adra a meddwl am y peth efo Mrs Richards.' Crëwyd awyrgylch ffurfiol gwbwl estronol i dipyn o fyfyriwr ond achubwyd y sefyllfa gan yr ysgrifennydd: 'Fe wna i ysgrifennu yn swyddogol ichi a chewch chwithau ei ateb, ac rwy'n cymryd yn ganiataol mai'r un fydd yr ateb,' meddai'n garedig. Roedd Dora'n disgwyl yn eiddgar amdanaf, a bu'r ddau ohonom yn cydlawenhau wrth feddwl am gychwyn efo'n gilydd yn y pentra ar lan y môr.

Wel, dyna un baich oddi ar fy ysgwydd i hwyluso fy

ffordd ar gyfer yr arholiadau terfynol ddechrau Mehefin. Ond eto fyth, un bore clywn lais cynhyrfus Cynwil ar waelod grisiau'r fflat.

'Rich, wyt ti wedi codi?'

Daeth i mewn yn frysiog.

'Mi ydw i mewn diawl o bicil – edrych 'ma.'

'Beth sy'n dy boeni di, Wil bach?' gofynnais, yn llawn tosturi.

'Mae'r bali Ymryson Areithio yna 'mlaen ac, fel y gwyddost ti, Ben a fi enillodd y Brysgyll llynedd ac mae gofyn a disgwyl i ni'n dau ennill eto eleni. Mi elli feddwl fod Rees yn fwy na pharod, ond O! Rich bach, helpa fi! Fedra i mo'i neud e efo'r holl waith 'ma . . . '

Mi wyddwn fod y BD bondigrybwyll yn pwyso'n drwm arno, ac yntau ar ei flwyddyn gradd. Roedd Cynwil a minnau'n gyfeillion da ers tair blynedd bellach, a chan fod siarad a phregethu yn nhoriad fy mogail, sut y gallwn wrthod y fath gyfle? Gwyddwn hefyd ei bod hi'n bur debygol fod Cynwil yn teimlo fel rhoi cyfle i mi, chwarae teg iddo!

Mwynheais bob munud o'r paratoi a'r crwydro i Gaerdydd a'r cystadlu yn erbyn colegau eraill Cymru. Yn wir, fe gyrhaeddodd Ben a minnau i'r rownd derfynol, wedi rhoi cewri go fawr i lawr ar y ffordd. Wynebwyd ni'r noson honno â dau ddarpar athro o goleg Caerdydd – Arwel Jones a Geraint Lloyd Owen – y ddau fwyaf diwenwyn fu mewn cystadleuaeth erioed. Ond, er addfwyned y gwrthwynebwyr, roedd treulio oriau yn y stiwdio boeth yn llethu dyn. Crwydrai Sam Jones yn fân ac yn fuan yn ôl a blaen wedi gafael yn dynn dynn yn ei falog ac yn sibrwd ag ef ei hun, 'O, cadwch i'r sgript, bois.'

Daeth fy nhwrn i i fynd at y rostrwm a thynnais bob stop allan. Cynulleidfa felltigedig ydi tyrfa o fyfyrwyr gelyniaethus, a chofier fod yno fwy o lawer o ddarpar athrawon nag o ddarpar weinidogion! Wynebais y bleiddiaid heb sgrap o bapur – fel y dylai pob pregethwr da, yn ôl fy nhad. Daeth awel o rywle a daeth 'Brysgyll *Y Cymro*' i'r Coleg Diwinyddol am yr ail flwyddyn, gyda chymeradwyaeth uchel. Anwylais ddedfryd John Morris, Arolygwr ei Mawrhydi, a gyhoeddwyd yng nghylchgrawn sosialaidd y myfyrwyr, *Aneurin*: 'E. Richards has been undisputably acclaimed the best speaker of the whole series. Indeed, the best speaker since the series began 10 years ago.' (Dylwn ychwanegu mai Ben Rees oedd golygydd y cylchgrawn byrhoedlog hwnnw, a bûm innau'n aelod o'r bwrdd golygyddol!)

Erbyn 1962 roedd cystadleuaeth ar wahân i siaradwyr unigol am Gwpan y BBC, ac rwy'n ymfalchïo mai fi oedd y cyntaf un i ennill y cwpan hwnnw. Gwahoddwyd Sam Jones i'r Coleg Diwinyddol i gyflwyno'r 'Brysgyll' i Cynwil, Ben a minnau – i'w dderbyn ar ran y coleg am yr areithio tîm – ac i gyflwyno cwpan y BBC i minnau.

Wedi'r hwyl a'r miri roedd yn dipyn o anticleimacs troi eto at ddyrys bethau fel y Testament Groeg. Coronwyd fy anobaith pan gefais amserlen yr arholiadau ddechrau mis Mai. Yn ôl honno mi fyddwn yn dechrau ar y bore Llun cyntaf ym Mehefin ac yn gorffen y bore Gwener canlynol, heb yr un bwlch. Os oedd hi'n dywyll cynt roedd hi'n afagddu arna i yn ôl yr amserlen hon. Es ar fy union i fflat y prifathro yn y gobaith y deuai ymwared imi ganddo.

Roedd W. R. mor ddidaro â Pheilat wedi'r brad. 'Steddwch,' meddai'n hamddenol, gan dynnu sigarét fawr dew o'i baced Players ac, am y tro cyntaf erioed a'r tro olaf, rhoes un i minnau. 'Ylwch,' meddwn i wrtho, 'mae'r *time-table* yma wedi dwyn pob mymryn o obaith oedd gen i o basio'r arholiadau yma – mae gen i ddwblars am wythnos gron.' Gwenodd a thynnodd yn y sigarét nes sugno'i fochau llwydion i ganol ei geg. Wedi edrych i'r nef troes ata i a dweud, 'Mr Richards' – rhyw berthynas hyd braich felly oedd yna rhyngddo a mi – 'that's your *only* hope of passing them.' Aeth ymlaen â'r hyn a glywais filwaith ganddo: 'When I was in Oxford, we wouldn't *dare* to study between exams.'

Derbyniais fy ngradd mewn seremoni ym Mhrifysgol Abertawe gan Dafydd ap Thomas o Fangor, ac felly, wedi'r holl dreialon, y daeth y blynyddoedd maith o efrydu i ben. Roeddwn yn troi fy neg ar hugain oed erbyn hynny. On'd oedd hi'n beth rhyfedd imi fod wedi cael cymaint o fwyniant wrth gyd-fyw â chydefrydu â chenhedlaeth o fyfyrwyr oedd flynyddoedd yn iau na mi? Cofiwch, mae'n ddigon posib i hynny fod wedi bod yn foddion i'm cadw hyd y dydd heddiw i deimlo beth yn ieuengach na'm tystysgrif geni!

Ond, bellach, roedd byd a bywyd newydd yn ymagor o'm blaen. Er mor gyffrous fu dwy flynedd gynta'r chwedegau yn fy hanes – yn llawn digwyddiadau, mawr a bach – teimlwn fod y digwyddiad a fyddai'n goron ar y cwbwl eto i ddod, sef fy ordeinio'n weinidog. Cynhaliwyd yr oedfa honno yng Nghapel Salem, Dolgellau, ym mis Hydref 1962.

Gweinidog Cemais

Doedd hi ddim yn hawdd gadael Aberystwyth pan ddaeth yr amser. Er mai byr fu ein tymor yno, eto fe glymwyd Dora a minnau'n dynn wrth y lle heb yn wybod inni rywfodd. Gadael y Coleg ger y Lli, gadael Ysbyty Bronglais; yn anos na dim, gadael y fflat bach cysurus yn 41 Stryd Portland lle bu inni am ddeunaw mis cynta'n bywyd priodasol 'ddechrau'r daith'. Mewn gair, gadael y cysuron a'r pryderon a berthyn i ragymadrodd bywyd!

Ond fu hi ddim yn anodd i mi setlo i lawr yn Sir Fôn gan nad âi neb yn bell o aroglau'r pridd a'r silwair yma, nac ychwaith o glyw brefiad oen bach am ei fam; heb os, dyma'r lle i greadur gwladaidd fel fi. Ac roedd yma hefyd, siawns, ar yr ynys ddigon o bechaduriaid i gadw'r pregethwr a oedd ynof yn ddiddig. A pha wahaniaeth os nad oedd yno fynyddoedd uchel fel yr Eifl ac Eryri; fu'r ynyswyr dro bach a'm perswadio fod Mynydd Parys, y Garn a Mynydd Twr cyn uched, os nad yn uwch, na'r Wyddfa!

Safai Ael-y-bryn, tŷ 'gweinidog Cemais', yn unol â'i enw ar yr allt sy'n arwain o Gemais i Lanfechell. Tros y ffordd yn union i'r tŷ roedd melin wynt enfawr a'i hadenydd yn gorwedd yn llipa ar ei bron. Roedd y ddau adeilad fel pe baent yn cystadlu â'i gilydd: p'run ohonynt oedd y mwyaf? Roedd y gweinidog a'i wraig, beth bynnag, yn eitha siŵr bod y tŷ yn rhy fawr o lawer, os oedd y fflat yn Aberystwyth yn rhy fach. Roedd yn Ael-y-bryn chwech o lofftydd mawr eang – cymaint bron â'r lleiniau bach hynny ar lethrau mynydd y Rhiw yn Llŷn – ac roedd yr un cyfrif o ystafelloedd eto ar y llawr. Eisteddodd y ddau ohonom yn eitha digalon yn y gegin. 'Sut byth y

75

medrwn ni lenwi'r fath dŷ?' oedd y geiriau a âi drwy'n meddyliau ni'n dau, cyn i Dora ddweud, yn rhyw hanner gobeithiol, 'Mi gei di fynd i weld dyn y banc fory'.

Erbyn dechrau'r chwedegau roedd yr oes oddefol wedi llacio pob atalfa, gan gynnwys y banc. Cefais bob croeso gan ddyn y banc ac, er fy syndod, roeddem yn adnabod ein gilydd yn dda – Gwilym Roger Jones oedd y rheolwr, priod Elen Roger Jones. Cofiwn hwy yn dda yn Abersoch, yn llawn brwdfrydedd, a phan euthum i'r Bala roedd Gwilym hefyd wedi symud i'r dref honno. Yn unol â'i natur, siarad crefydd a chapel a wnaeth rheolwr y banc y bore hwnnw, ond cyn imi adael y seiat rhoes ganiatâd imi fenthyca'n helaeth. Ar fy ffordd adra cofiais am un o ddywediadau fy nhad: 'Gwell iti fod mewn dyled i *rywun* nag i'r banc'! Fu erioed fwy o wir: rhoesom, heb yn wybod inni, faen melin am ein gyddfau a fu'n bryder inni am rai blynyddoedd, wedi holl ddihitrwydd y chwedegau.

Ymroes Dora i osod trefn a graen ar ein cartra newydd. Doedd Meurig Roberts, y cyn-weinidog, mo'r tenant gorau i'w ddilyn i unman. Roedd wedi poli-lenwi pob ffenest, dwy ar hugain ohonynt, fel na allai neb eu hagor fyth. Doedd yr un simdde'n tynnu, ac roedd yna bump o'r rheini. Llwyni oedd yr holl blanhigion a dyfai yn yr ardd, ond roedd graen rhyfeddol ar y cwbl ohonynt ac, o'r herwydd, rhagwelem gryn waith o'n blaenau i'w cadw felly. Ond er y rhwystrau i gyd, llwyddodd Dora i gael eitha trefn ar y tŷ a'r ardd.

Ar y Sul cyntaf o Orffennaf, pregethais am y waith gyntaf fel gweinidog Cemais. Roedd yno dyrfa fawr yn tindroi o gwmpas y capel, a'r gweinidog newydd a'i wraig mor swil â phlant bach yn mynd i'r ysgol am y tro cyntaf. Roedd pawb yn siarad yn neis ac yn gwisgo gwên artiffisial braidd (neu felly y meddyliwn i yn fy ieuenctid ffôl!), gydag aroglau persawrau rhad a drud yn llenwi'r awyr. Dihangais i ystafell y blaenoriaid gan adael Dora druan ynghanol y dieithriaid duwiol.

Fe'm harweiniwyd at gadair freichiau dderw, hen. 'Yn *hon* y bydd y gweinidog yn ista bob amsar,' meddai un o'r blaenoriaid. Cyn i mi ollwng fy hun i'r gadair, fe'm rhybuddiwyd mai cadair John Elias oedd hi! 'Teulu'i wraig o roes y tir yma i godi'r capal,' meddai blaenor arall. Pwy tybed oedd hwn a oedd yn dal yn fyw o hyd yng Nghemais, a'i roddion o a'i deulu yn dal i hawlio parch?

Roedd canu bywiog ar emynau'r oedfa, gyda Cecil Jones, prifathro'r ysgol, wrth yr organ yn gyrru'r cantorion. Sôn am 'ganu coch Sir Fôn', wir! Aeth y bregeth hefyd yn eitha hwylus a didramgwydd, o feddwl ei bod hi'n un newydd sbon.

Wedi dod i lawr o'r pulpud cefais dro drwy'r capel, a thynnwyd fy sylw at ddwy sedd arbennig iawn y naill ochr i'r capel yn y gwaelod un. Roeddynt yn gwbwl wahanol o ran siâp i'r seddau eraill. Sedd yr Wylfa oedd yr un ar y dde – sedd teulu David Hughes, y bu i'w ferch briodi John Williams, Brynsiencyn – a'r sedd arall ar yr aswy law oedd un Pentre Gof a theulu Tre'r Gof, a John Elias wedi priodi'r ferch, Elizabeth Broadhead. Cefais fy nghyflwyno i Miss Catherine Williams, hen ferch dros ei deg a phedwar ugain oed ond mor fyw ei meddwl â merch ddeunaw oed. Cyflwynodd ei hun imi gan ymffrostio yn ei CV: 'Y fi oedd *Lady's Companion* Mrs John Williams,' meddai gan ryw hanner moesymgrymu wrth ddweud enw honno. Synnais ei chlywed yn dweud wedyn bod ei thad a John Elias yn gyfeillion clòs. Beth bynnag fu condemniad Bob Owen Croesor ar John Elias – yn ei gyhuddo o fod yn Dori mawr, ymysg pethau eraill – a faint bynnag o feirniadu fu ar y gŵr o Frynsiencyn am recriwtio bechgyn i'r Rhyfel Byd Cyntaf, roedd yma yng Nghemais ryw barch rhyfeddol i goffadwriaeth y ddau John a siglodd gynulleidfaoedd gyda'u huodledd digyffelyb. (Soniodd neb ar y daith trwy'r capel ble roedd 'sedd y pechaduriaid', gyda llaw!)

O'r cychwyn cyntaf, un o brif rinweddau'r weinidogaeth i mi fu cael mynediad i ganol bywydau pobol a chymdeithas. Rwy'n dal i gofio'r briodas gyntaf imi weinyddu ynddi fel gweinidog – yn Awst 1962 – priodas Rhiannon a Wil Arthur, athrawes a saer coed. Merch o Ryduchaf, ger y Bala, oedd Rhiannon, ac yno y'u priodwyd, a'r gweinidog druan yn fwy nerfus o lawer na nhw'u dau. Yn yr un mis eto y gwasanaethais yn fy angladd cyntaf erioed. Dyn môr oedd Alun fel ei dad, Capten Hughes; bu ei golli yn ddeugain ac un mlwydd oed yn groes drom ac yn loes i'w briod, Mary, ac Elwyn, eu plentyn. Yna'r mis Medi dilynol, gweinyddais fy sacrament o fedydd cyntaf – dwy set o rieni yn cyflwyno'u plant i Dduw, gan wneud yr ymrwymiad i'w magu yn nysgeidiaeth y ffydd Gristnogol. Gan fod Julie ychydig bach yn hŷn na John Hywel, y hi fedyddiwyd gynta – baban cyntafanedig Neal ac Olga – ac yna John, plentyn Tom a Margaret. Diolch byth, mi fu Julie a John Hywel yn garedig tu hwnt wrtha i – yn dawel fel dau angel bach! Tri phrofiad gwahanol iawn, felly, a minnau wedi cael y fath gyfrifoldeb wrth rannu profiadau mawr bywyd efo tri theulu yn union ar gychwyn fy ngweinidogaeth. Mae yna rywbeth neilltuol iawn ym mhethau'r 'tro cynta', on'd oes? Ac mi geisiais inna gadw mewn cof gydol fy ngweinidogaeth bod llawer gwasanaeth ac amgylchiad yn 'dro cynta' i'r bobol a wasanaethwn.

Erbyn i mi ddod i Fôn, roedd sôn a siarad fod bwriad i godi Atomfa ar benrhyn yr Wylfa, safle brydferth yng ngolwg a sŵn y môr. Euthum yng nghwmni Richard Williams, Penlôn, i gerdded y penrhyn cyn y newid a'r chwalu. Safai'r maenordy gwag fel pe bai'n disgwyl y teuluoedd o Lerpwl. Onid dyma'r plasty lle gorffwysodd Evan Roberts, y diwygiwr, cyn dechrau ar ei genhadaeth ym Môn yng nghwmni John Williams, Brynsiencyn? Bellach doedd yno ond atgofion am oes a chyfnod arall, a chyn hir fyddai yno ddim ond arogl llwch Wylfa ddoe. Ond roedd yno ddyddyn bach del heb fynd yn adfail ar y penrhyn, a'r teulu'n dal i fyw yno. 'Ewch draw heibio iddynt,' meddai'r blaenor. 'Mae eu henwau ar lyfrau'r capel.'

Roedd dyn byr, tew yn pwyso ar y llidiart wrth ei dyddyn fel pe bai'n gwarchod ei etifeddiaeth. Gorweddai dau filgi wrth ei draed ac roedd y cŵn a'r dyn yn gwylio pob symudiad o'm heiddo, a thorrais innau ar y dieithrwch mud. 'Gweinidog newydd ydw i,' meddwn yn nerfus, fel pe bai gen i gywilydd o fod yn y fath swydd. Rhoes y dyn gam i'm cyfarfod gydag ebychiad o ryddhad. 'Wel, diolch byth, a finna'n meddwl yn siŵr mai rhyw swyddog diawl ynglŷn â'r stesion oeddach chi. Croeso mawr ichi.'

Cefais hanes y datblygiadau gan y tyddynnwr, ac fel yr oedd yn gwrthod yn lân â symud oddi yno – roedd yn amlwg fod ganddo feddwl y byd o'i dyddyn. Rhoes Maud, gwraig y tŷ, wahoddiad imi i fwynhau paned ar aelwyd y Galan Ddu am y waith gyntaf erioed, a'r un olaf hefyd cyn dyfod o'r newid a'r chwalfa i hedd y penrhyn. Hebryngodd yntau fi at y car gan fy hysbysu cyn gwahanu: 'Welwch chi mohona i yn y capal, ond cofiwch os bydd arnoch isio rwbath, dowch draw yma.' Fu fawr erioed ddwy addewid a gadwyd mor llawn. Pwy o'r ardal a anghofia noson y 'sêl' at Gymorth Cristnogol yn y festri, ac Eric Penrallt wedi rhoi iâr a dwsin o gywion bach dela rioed?

Buan iawn y synhwyrais fod Eric yn enghraifft o laweroedd o bobol ardderchog a rhyw ruddyn o ddaioni arbennig ynddynt, pobol y collodd yr eglwys afael arnynt neu y bu iddynt hwy gefnu ar yr eglwys. Bu hyn yn achos pryder a dyfalu imi gydol fy ngweinidogaeth, a manteisiais ar bob cyfle i 'gyrraedd atynt' pan groesai llwybrau'r bobl hyn a mi ar achlysuron arbennig megis bedydd, priodas neu angladd. Rhoes awduron ym maes Cymdeithaseg Fugeiliol enw newydd ar y bobol hyn – 'y rhai a grêd heb berthyn'.

Perthyn neu beidio, roedd fy agenda'n orlawn o alwadau a dyletswyddau a berthynai i weinidog yn y chwedegau. Pan gawswn fy ordeinio yn Salem, Dolgellau, y Parch. Herbert Evans, Caer, oedd yr un a roddai'r 'cyngor' i ni'r darpar weinidogion. Gŵr oedd hwnnw, beth bynnag a ymddiriedid iddo'i wneud, fe'i gwnâi â'i holl enaid. Cofiaf o hyd ei gyngor agoriadol: 'Cofiwch gychwyn yn y lô gêr.' Beth bynnag wnes i o unrhyw gyngor arall o'i eiddo, mi anwybyddais y cyngor ymarferol hwn yn llwyr! Ymwelais â chartrefi'r fro fel gwenynen o flodyn i flodyn. Yn wir, doedd wiw i'r un o'r bobol besychu na thisian nad oedd y gweinidog yno'n syth. Byddwn wedi cyrraedd i'r ysbyty cyn i ambell glaf gynhesu'r gwely, a threuliais sawl noson (drwy'r nos) yn gwarchod claf yn y cartra. Ond wrth edrych yn ôl, rwy'n reit siŵr mai'r cynghorwr o Gaer oedd yn iawn – lô gêr ddyl'sai fod pia hi i gychwyn, a newid i gêr uwch maes o law.

Pwysodd y cynghorwr yn Nolgellau arnom hefyd i roi lle priodol i bregethu yn ein gweinidogaeth, ac roedd yna draddodiad cryf o bregethu ym Methesda. Bu yma bregethwyr amlwg, ac roedd yma gynulleidfa a werthfawrogai bregethu yn y chwedegau. Fe geid ambell wrandawr a *orfodai* ddyn i bregethu! Richard Hughes – neu Dic Bach – oedd un o'r rheini. Byddai'n holi ganol yr wythnos: 'Beth sy gynno chi inni at y Sul?' Pan blygai Dic ymlaen yn sedd y capel a gosod ei ên ar gefn ei ddwy law, gwyddwn y byddai'r bregeth yn dechrau cyffwrdd. Byddai Rich yr Ardd (nai i Dic Bach, a pheintiwr wrth ei alwedigaeth) yntau yn ymgolli yn ei wrando. Fe gollodd pregethu ryw gymaint o'i wefr i mi pan gollwyd y ddau Dic o'r oedfa.

Bûm yn ffodus ryfeddol o'm cymydog, sef gweinidog newydd Amlwch, y Parch. Richard Williams, un arall o Lŷn, oedd yn rheng flaen pregethwyr amlwg y genedl ac a arhosodd yno gydol y blynyddoedd. Roedd Richard yn un o'r rhai olaf o do arbennig o bregethwyr ac o bregethu. Fe ddeuai ar y ffôn bob nos Sadwrn cyn y Sul y byddwn adref, ac roedd hynny bob yn ail Sul. Yr un cwestiwn fyddai ganddo i gychwyn pob seiat ar y ffôn: 'Beth sy gen ti iddyn nhw fory?' Byddwn innau wrth fy modd yn cael cyfle i ddweud, ac weithiau i hanner pregethu'r bregeth newydd. (Mae gan bob pregethwr feddwl y byd o bregeth newydd – dyna pam maen nhw mor sensitif i feirniadaeth!) Byddai Richard yn garedig yn taflu ambell awgrym ac yn gorchymyn imi beidio â chynnwys ambell sylw neu stori go amheus. Bu'r seiadau nos Sadwrn hyn yn addysg dda imi, yn enwedig i gadw pregethwr ifanc a dibrofiad ar drywydd y gwirionedd. Roeddwn i, fel y rhelyw o weinidogion oedd yn ffres o'r coleg, yn tueddu i bupro 'mhregethau ag enwau'r awduron diwinyddol diweddaraf. Ymddangosodd sawl enw newydd ymhlith diwinyddion y pum- a'r chwedegau, enwau fel Paul Tillich a'i *Shaking of the Foundations* ac, yn fwy chwyldroadol fyth, Esgob Woolwich, John A. T. Robinson, a'i weithiau *Honest to God* a *The New Reformation*. Yn wir, roedd y saint yng Nghemais yn credu'n siŵr fod Paul Tillich naill ai'n batriarch neu'n apostol! Sylweddolaf erbyn heddiw y derbynient yr athrawiaethau newydd yn amrwd heb eu coginio, sy'n resyn mawr. Fe gynigiai'r awduron hynny weledigaeth newydd, ond roedd y mwyafrif ohonom ni weinidogion y cyfnod yn rhy geidwadol neu'n rhy ddiog i dderbyn eu harweiniad.

Do, bu Richard Williams yn ganllaw cadarn imi drwy gyfnod aflonydd ac anaeddfed, a llwyddodd i gadw fy nhraed ar y ddaear. Cynghorai fi'n wastad: 'Paid byth ag esgeuluso dy *bulpud*. Mae'n well i ti, pe bai raid, esgeuluso bugeilio nag esgeuluso'r pulpud.' Rhois ystyriaeth i'w gyngor, gan geisio peidio byth â blino'r bobol wrth orymweld.

Roedd byw mewn bro mor bellennig yn golygu ein bod yn ffodus i beidio cael gormod o ymwelwyr – y bobol hynny fydd yn codi'r glicied gyda'r geiriau 'digwydd pasio oeddan ni'. Does neb yn *digwydd* pasio ym mhen draw Sir Fôn! Ond i weinidog ifanc (neu gymharol ifanc) roedd i'r lleoliad ei anfantais hefyd: yn naturiol, fe gollwn i gwmni a chymdeithas gweinidogion eraill. Dyna pam y cyfrifwn gwmni Richard Williams mor werthfawr.

Ond mi ges i hefyd gwmni un arall gydol y blynyddoedd a fu'n gyfaill a chymydog amhrisiadwy imi – y Parch. Emlyn John, sydd erbyn hyn wedi treulio dros drigain mlynedd yma yng Nghemais. Fel y bu i'w weinidog ef, Parry-Roberts, Mynachlogddu, adael ei ddylanwad yn drwm, drwm arno fo, felly y mae dylanwad Emlyn John yn arhosol o drwm arna innau. Yn siŵr, ei gyfeillgarwch diymdrech ef fu'r achos pennaf i'm hangori yn y rhan hon o'r ynys. Os bu cymeriad unigryw ryw dro, wel dyma fo. Cefnogodd achosion amhoblogaidd drwy'i oes, a wynebodd wawd a dirmyg heb suro na sorri. Cefais ynddo 'un o'r un feddwl' ar gwestiwn heddwch a chyfiawnder. Pa ryfedd hynny, ac yntau wedi'i fagu a'i feithrin rhwng y Witwg a'r Wern yng nghysgod y Preselau lle y syrthiodd Waldo mewn cariad â'r iaith Gymraeg, a'r lle y cododd Niclas y Glais ohono. Bu cadernid a dewrder Emlyn John yn gymhelliad amhrisiadwy i mi, a chafodd Dora ynddo un i'w helpu a'i dysgu i bapuro hen waliau anwastad Ael-y-bryn. Cyrhaeddais adref yn hwyr droeon i weld y ddau'n edmygu'u gwaith ar y muriau!

Heb yn wybod, megis, fe wawriodd yr oes oddefol dan siglen y chwedegau. Fe ddaeth fel huddug i botes, gan effeithio byd ac eglwys. Un o effeithiau amlwg yr oes newydd oedd gwisg ac ymddangosiad. Aeth sgerti'r merched yn fyrrach a gwalltiau'r dynion yn hirach, yn gymaint felly nes ennyn beirniadaeth ddeifiol y to hŷn, o galon neu o genfigen. Credwn innau y dylai gweinidog cymharol ifanc wisgo bathodynnau'r oes. Tyfwn fy ngwallt yn llaes a blêr a gwisgwn siwt nad oedd weddaidd i weinidog. Mynnai Arfon, llefnyn o Benuel Port,

Amlwch, fod ei fam yn prynu sgidiau 'tebyg i rai gweinidog Cemais' iddo – mae'n rhaid, felly, 'mod i wedi dal ysbryd yr oes!

Ond ynghanol yr hwrlibwrli i gyd – gyda channoedd o weithwyr wedi dod i'r ardal i adeiladu Atomfa'r Wylfa, a goddefgarwch y dydd yn agor pob drws i bawb a phopeth ymddwyn fel ag a fynnent – rywfodd, yn y fath gyfwng, cawsom dymor gwych o weithgarwch gyda'r plant yng Nghemais cyn i'r pibydd brith eu denu i'w ganlyn. Llwyddasom trwy weithio'n egnïol a pharatoi'n drylwyr weithgareddau a apeliai atynt. Mae'n rhaid imi yma roi'r rhan fwyaf o'r clod i'r wraig am unrhyw lwyddiant yn y maes hwn, ond dichon hefyd fod esgidiau'r gweinidog yn apelio ac, yn siŵr, gar mini'r gweinidog, a oedd fel tacsi'n eu casglu o bell ac agos – rhai o bob enwad. Câi'r plant hwyl anghyffredin yn creu record o faint o blant a âi i mewn i'r mini efo'i gilydd: dywedodd David Gorffwysfa fod yna ddau ar hugain un nos Fawrth! Beth a wnâi'n hawdurdodau 'Iechyd a Diogelwch' presennol o'r fath beth, meddach chi?

Yn 1974 daeth y Parch. Edgar Jones yn athro i Ysgol Cemais, a dyna ichi beth oedd symudiad da. Bachgen o Laniestyn yn Llŷn yw Edgar, a buom ein dau'n gyd-ddisgyblion yn Ysgol Botwnnog. Manteisiais ar ei ddawn neilltuol fel enillydd cenedlaethol ar y ddrama i gyfansoddi dramâu i ni at y Nadolig ac achlysuron arbennig eraill. Bu Dora yn ddygn a hwyliog yn llwyfannu ac yn cynhyrchu'r dramâu hyn. Gyda'r blynyddoedd roedd drama'r Nadolig yn gwella bob blwyddyn ac fe gofir yn hir am lwyfannu *Y Gair a wnaethpwyd yn gnawd*, ac yn arbennig am y perfformiad o ddrama dair-act yn seiliedig ar 'Faled y Pedwar Brenin', Cynan. Cafodd y plant gyfle eto i berfformio pasiant nodedig iawn ar achlysur dathlu dau can mlwyddiant yr achos ym Methesda, Cemais, yn 1981. Roedd Edgar a Dora – yr awdur a'r cynhyrchydd – yn deall ei gilydd i'r dim, a'r ddau'n medru mynd i mewn i fyd plentyn ac yn gwybod sut i dynnu'r gorau ohonynt.

Ond nid y plant yn unig a gâi sylw. Roedd yna gymdeithas i'r bobl ifanc yng Nghapel Bethesda yn mynd yn ôl i gyfnod Griffith Owen yno'n weinidog – Cymdeithas yr Engan. Roedd hon yn gymdeithas gref iawn, a bu dyfodiad yr Atomfa wedyn yn fodd i gadw mwy o'r bobol ifanc yn yr ardal. Ymroes Cymdeithas yr Engan i godi arian at wahanol achosion dyngarol. Gwneid pethau fel torri coed a'u gwerthu'n goed tân. Dro arall yn ystod y gaeaf byddem yn rhannu coed tân i'r bobol hŷn, ac yn rhyfedd iawn caem fwy am hynny nag a gaem wrth eu gwerthu! Rwy'n cofio inni unwaith brynu ieir wedi gorffen eu tymor dodwy, a'u pluo a'u trin. Doedd dim modd dweud y gwahaniaeth rhyngddynt a chywion hyd nes iddynt gyrraedd y bwrdd! Roedd gweithgareddau o'r natur ac o'r math yma yn gyfrwng i'n dwyn yn nes at ein gilydd ac i ffurfio cyfeillgarwch oes, y math o berthynas sy'n amhrisiadwy i weinidog a'i bobol – yn enwedig pobol ifanc – ac roedd y cyfan yn fodd i'r ifanc weld diben eu gwasanaeth.

Yn yr wythdegau hefyd fe ddaeth plismon ifanc i Gemais fel plismon pentra. Roedd Ian Williams yn gapelwr ac yn gerddor gwych. Mewn dim o dro fe gasglodd barti o bobol ifanc i gynnal gwasanaethau o safon neilltuol ar y Sul. Fe gytunai Ian iddo fedru rhoi llawn gwell gwasanaeth i'r gymdeithas yn y ffordd yma na phan fyddai ar ddyletswydd yn ei lifrai.

Er imi ymffrostio o bryd i'w gilydd na symudais erioed o ofalaeth Cemais, eto mi *gefais* fy symud – yn wir fe'm symudwyd fel gweinidog deirgwaith heb imi adael Cemais o gwbl. Yn 1965 penderfynodd Cyfarfod Misol Môn fy symud ymhellach o'r bont, i Gemlyn a Llanfair-yng-Nghornwy, i gornel gogledd-orllewinol eitha'r ynys. Golygai hyn adael y Burwen ar gwr tref Amlwch, ac er na fûm yno ond cwta dair blynedd, codwyd gwrthwynebiad gan y Burweniaid, dan arweiniad llencyn ysgol yn ei arddegau hwyr. Walter Glyn Davies oedd y protestiwr ifanc hwnnw ac fe roes ymdrech ddewr, ddygn i gadw'i weinidog, ond methiant fu pob ymdrech a gorfu i mi symud fy maes yn nes i Gaergybi. Ond mi allaf honni imi fod yn achos i hybu'r elfen o rebel sydd yn natur addfwyn Walter, gan iddo wedyn wneud cryn enw iddo'i hun mewn coleg a chymdeithas fel tipyn o brotestiwr!

Rhaid imi gyfaddef y bûm yn hapus tu hwnt yn y rhan bellennig hon o'r ynys. Fe'm sefydlwyd yno mewn gwasanaeth cartrefol ac anffurfiol ym Medi 1965. Cyflwynwyd fi i'r ardal newydd gan Richard Williams o Fethesda – cyflwyniad hynod o anghyffredin. 'Mae eich gweinidog newydd yn chwerthwr da,' meddai, 'ac mae ganddo ddawn i wneud i bobol eraill chwerthin.' Cyn i'r gynulleidfa dawelu o'i chwerthin hithau, meddai'r siaradwr eto: 'Rhinwedd go anghyffredin mewn gweinidog, ac eto un hynod o werthfawr, ydi bod yn chwerthwr da.' Mae ambell air yn troi yn ddrych inni gael golwg arnom ein hunain. Ar y pryd roeddwn braidd yn siomedig na fuasai'r cyflwynwr wedi dweud wrth y praidd newydd fod y gweinidog yn fugail da, neu yn well fyth ei fod yn bregethwr da. Ond erbyn hyn rwy'n eitha siŵr y rhoes Richard Williams imi eitha cymeradwyaeth. Cyfrifaf innau'r ddawn i chwerthin ac i beri i eraill chwerthin yn un werthfawr iawn, a gwnes ddefnydd ohoni bob cyfle a gawn trwy'r blynyddoedd.

Cyn diwedd y flwyddyn honno, 1965, cafodd Dora a minnau achos gwên neilltuol – fe anwyd inni ferch fach ar y nawfed o Dachwedd. Fel pob babi, daeth Ruth â llond y tŷ o lawenydd, o newid ac o gyfrifoldebau newydd, gan dynnu ein sylw oddi arnom ein hunain. Bu Ruth yn gwmni mawr i'w mam pan fyddwn i oddi cartra ar fy nheithiau, ac fe ddychwelwn innau i glywed am wyrthiau newydd bob tro. Ar Sul olaf y flwyddyn honno, bedyddiwyd hi gan gaplan yr Wylfa, y Parch. Arthur Meirion Roberts, cyfaill i ni fel teulu.

Cawsom lonydd am sbel heb i neb, gan gynnwys Cyfarfod Misol Môn, aflonyddu arnom, a minnau bellach wedi treulio deunaw mlynedd yn fy ngofalaeth gyntaf. Yn aml iawn y dyddiau hynny byddai gweinidog yn symud o'i ofalaeth gyntaf ar ôl rhyw bump i saith mlynedd, ac fel arfer hefyd byddai'r Ysbryd Glân yn siŵr o'i symud i le gwell – o ran maint y capel a'r cyflog, o leiaf. Yn gam neu'n gymwys, ddaeth yr Ysbryd Glân ddim heibio i mi. Ac os llwyddodd y diafol i'm temtio ar sawl ffrynt, mi fethodd ar y ffrynt yma.

Ond ar 25 Ebrill 1980, trwy drefniant Henaduriaeth Môn, wele'm sefydlu eto ym Methel Hen, Llanrhuddlad, gydag ychwanegiad o ddwy eglwys at y pedair. Dyma fi bellach yn medru gweld harbwr Caergybi ac Iwerddon o ben Llanfaethlu, cwr eithaf yr ofalaeth newydd. Gan fod y Parch. John Roberts wedi ymddeol o'r Bala ac wedi dod i fyw i'w hen bentra yn Llanfwrog, naturiol oedd gofyn iddo ef annerch yr oedfa honno yn ei ddull dihafal ei hun. Cymerodd gwestiwn priodol iawn yn destun: 'Beth ydi job gweinidog?' Traethodd gyda rhyw eneiniad neilltuol wrth ateb y cwestiwn. Gwaith gweinidog, meddai John Roberts, ydi: (i) Dweud y gwir mewn byd o gelwydd; (ii) Maddau mewn byd o bechod; (iii) Caru mewn byd o gasineb. Fedrwch chi feddwl am well siars i weinidog newydd?

Roedd ym Methel Hen ar y pryd nythaid o bobol ifanc ardderchog oedd yn ysu am arweiniad. Buont yn ymgasglu yn festri'r capel bob nos Fercher, a chwyddai'r criw wrth gael eu denu o ardaloedd cyfagos. Roedd Enid Jones, gwraig y tŷ capel, yn un o'r merched gwerthfawr hynny a wyddai sut i hybu a chefnogi pobol ifanc swnllyd, ac nid cwyno fod 'yr hen betha ifanc yna yn dod i fan'ma i wneud twrw'. Dan gyfeiliant Iona, ei merch, ffurfiwyd parti o ferched ifanc – Genod y Garn – fu'n perfformio rhannau helaeth o'r *Meseia* gan Handel ar gyfer y Pasg sawl gwaith, yn ogystal â gweithiau eraill ar gyfer y Nadolig.

Cyn y diwedd roedd Henaduriaeth Môn wedi rhoi penelin imi eto – i gyfeiriad y dwyrain y tro hwn, i Lanfechell (lle roedd cangen o'r Bwcleaid yn cynnal stad fechan yn y Brynddu), ynghyd â Jerusalem, Mynydd Mechell, a'r Garreglefn (bro Gweirydd ap Rhys, y llenor a'r hanesydd o'r ail ganrif a'r bymtheg). Erbyn hyn aeth fy ngofalaeth yn esgobaeth o naw o eglwysi! Yn anorfod, gyda'r estyniad yma, fe gollwyd i raddau un o nodweddion pwysicaf y weinidogaeth, sef cyffyrddiad gweinidog â'i bobol. Ond roedd yn Jerusalem a'r Garreglefn eto bleser a sêl neilltuol efo'r plant, a'r rheini'n llwyddo i wneud eu marc mewn Cylchwyl a Chymanfa.

Yn 1996, wedi pymtheng mlynedd ar hugain o weinidogaethu ym mhen draw Ynys Môn, mi ymddeolais – rhag ofn i'r Cyfarfod Misol fy symud eto!

A Defaid Eraill . . .

Fel un a fagwyd ar dyddyn yng ngwlad Llŷn ac a dreuliodd flynyddoedd yn gweini ar fferm o gryn faint yno, yn naturiol roedd aroglau pridd a gwair yn cynaeafu yn bersawr i'm ffroenau, a brefiadau ychain a defaid yn bersain i'm clustiau. Ac os oedd hi'n anodd i'r hen Bedr gynt adael y rhwydau a'r cwch, roedd hi'n goblyn o anodd i minnau adael byd amaeth hefyd.

Nid rhyfedd felly, pan gefais gynnig llain o dir wrth y tŷ, imi estyn ato â'm dwy law. Ond mae yna stori tu ôl i'r cynnig, ac fel hyn y bu pethau. Daeth Ruth adra o'r ysgol un pnawn a'i gwynt yn ei dwrn, fel y bydd plant bach chwech oed. 'Ma-na-ffair-fawr-dydd-Sadwrn-ac-ma'r-plant-i-gyd-yn-mynd-yno-felly-ga-i-fynd?' Roedd hen ffair enwog y Borth yn disgyn ar y Sadwrn y flwyddyn honno, a threfnwyd yr aem ein tri i'r ffair. Cyn cadw'r car yn y dre lawn a phrysur, roedd Ruth wedi sbotio rhes o fulod wrth wal yr eglwys a mynnodd ein bod yn mynd yno'n syth rhag ofn y byddai'r mulod wedi'u gwerthu. Bu'n rhaid ufuddhau, a dyma wthio trwy'r dyrfa. Pan gyrhaeddon ni'n tri at wal yr eglwys roedd y mulod yno bob un, a wir, yn ôl yr olwg arnyn nhw, yno y basan nhw drannoeth hefyd. Roedd un fules oedrannus yn gwarchod ei chyw bach, a heb falio dim yn neb, cofleidiodd Ruth y cyw mul yn dosturiol. Daeth y porthmon i'r golwg – Maldwyn bach o Walchmai, aderyn digon brith ond â chalon fawr.

'Does dim rydd fwy o foddhad i mi yn y busnas yma na bodloni plant bach,' meddai Mal – gan wneud yn siŵr fod tad y plentyn yn ei glywed.

'Ond Maldwyn annwyl,' meddwn, 'does acw ddim

llathan o dir i gadw mul, a pheth arall dydi'r peth bach ddim wedi'i ddiddyfnu.'

Troes Maldwyn ataf a gwên ddiniwed lond ei wyneb gan newid iaith am dro:

'Where there's a will, there's a way.'

Camodd y porthmon at Ruth a'r cyw mul, a chyn pen dim roeddan nhw'n sgwrsio am fulod nerth eu pennau. Gwyddwn yn iawn y medrai Maldwyn bach werthu eira i esgimo, ac erbyn i mi gyrraedd atynt roedd y fatel drosodd. Telais bum punt iddo am y mul bach – cryn dwll yng ngyflog gweinidog ar ddechrau'r saithdegau.

Amser swper y noson honno atebais gloch y drws i weld Arthur Williams, y Gromlech, a'r mul yn ei freichiau; golygfa unigryw yn nrws y Mans. 'Lle rydach chi am 'i roi o?' meddai Arthur – ar dipyn o frys braidd – gan ychwanegu, 'Mi fydd raid ichi roi potal iddo fo, tydi o ddim wedi colli 'i ddannadd sugno eto.' Sut gwyddwn i fod gwahaniaeth rhwng daint a daint yng ngheg mul bach? Ond fe oresgynnwyd yr anawsterau i gyd, a chafodd Mostyn gartra da am wythnosau lawer yn y tŷ gan fynd yn ôl a blaen i'r ardd a chysgu'r nos yng ngarej y car. Yfodd alwyni o lefrith a sawl torth cyn cyrraedd oedran diddyfnu a cholli'r dannedd sugno. Fu rioed blentyn ac anifail mor glòs at ei gilydd â Ruth a Mostyn. Byddai'r mul bach yn adnabod ei cherddediad o'r ysgol ac yn brysio i'w chyfarfod, a throdd sawl cwpanaid o de wrth estyn am frechdan o law ei feistres.

Diolch i Wncwl Willie, Pen-y-bryn, cafwyd cae bach del a ddaeth yn libart i Mostyn y Mul, a diolch i Gwmni Taylor Woodrow (y cwmni oedd yn paratoi'r safle i'r atomfa yn yr Wylfa), cafwyd y cartra bach dela rioed o sinc a choed iddo. Tyfodd yn ful mawr, a datblygodd yn gymeriad nodedig ac yn achos balchder i'w berchnogion. Roedd ei nadu – naci, ei udo – yn arwydd sicr o law, neu o leiaf o newid tywydd. Ystyriai rhai fod mul y gweinidog yn sicrach proffwyd tywydd na Michael Fish. Pan dyfodd

Ruth yn hogan fawr, neu'n rhy fawr i gael mul yn eiddo iddi, gyda thristwch y doed â phennod y magu mulod i ben.

Heb os, Mostyn a roes y siawns i mi ddechrau ffermio eto – rhyw fynd yn ôl at fy nghariad cyntaf, fel petai, gan barhau yr un pryd i fod yn fugail dynion! Wedi i Willie Williams ymddeol, cefais denantiaeth y cae i gyd, bron i bum acer o dir da. Cofiaf yn dda brynu tair dafad benddu fawr gan Dafydd Roberts, Tŷ Croes, Pentraeth. Eglurodd Dafydd fod y tair mewn oed, ac na fyddai yn eu gwerthu oni bai iddynt gael hwrdd yn rhy gynnar o lawer ac, o ganlyniad, y byddent yn fwy o drafferth na'u gwerth iddo ef. Bu i'r tair wyna ar ddechrau Tachwedd – pump o ŵyn rhyngddynt. Cyn hir cynyddais y praidd i ugain o ddefaid.

Roedd yn Basg cynnar y flwyddyn ddilynol, a dim llawer o ŵyn fyddai'n barod am wobr yn sêl y Pasg ym Mart y Gaerwen. Roedd hi'n amlwg fod yr oen sengal oedd gen i yn siŵr o wneud cyfrif da ohono'i hun. Rhoes Trefor Rowlands, y beirniad, ei law yn dyner ar gefn oen pasgedig y gweinidog, bagiodd yn ei ôl a chraffu arno, yna sibrwd wrth ei gyd-feirniaid – 'Hwn ydi o.' Do wir, mi gafodd yr oen y wobr gyntaf, ac mae'r label gen i o hyd yn brawf o hynny! Nid yn unig fe gafodd o'r wobr gyntaf ond mi ges innau'r pris uchaf amdano.

Wedi'r gwerthu, troes yr ocsiwnîar ataf gyda'r geiriau, 'Keep till Sunday.' Roedd yn bwysig i oen ifanc gael llaeth ei fam cyhyd ag y bo modd cyn ei fod yn cael ei ladd. Ond roedd gan y bugail da hwn ddefaid eraill yn disgwyl pregeth fore Sul am ddeg! Roeddwn i bregethu'r Sul hwnnw ym Moreia, Llangefni, ac i wneud pethau'n saith gwaeth, roedd Eleanor Lloyd, un o'r anwyla o ferched, wedi trefnu i ddod efo mi i dreulio'r Sul efo teulu iddi yn Llangefni. Sut byth y medrwn fynd ag oen *ac* un o organyddesau'r capel yn yr un car? Codais yn fore a rhoi'r oen mewn sach o gryn faint, yna clymu genau'r sach ond â phen yr oen allan, a'i roi yng nghist ôl y car. O'r funud y daeth Eleanor Lloyd i'r car, siaradodd fel melin yn ddi-daw, diolch i'r drefn. Rhoddais bob cymhelliad iddi ddal ati i siarad, ond cyn cyrraedd Llyn Cefni roedd fy nghyd-deithydd yn dechrau distewi a'r oen yn mynd yn fwy aflonydd. 'Nefoedd fawr, oes 'na rywun arall yn y car 'ma 'blaw ni?' gofynnodd yn llawn dychryn. Bu raid imi egluro fod 'na oen druan ar ei ffordd i'r lladdfa efo ni yn y car. Chwarddodd Eleanor Lloyd yn ddireol, ac es i agor y gist i'r oen gael dipyn o awyr iach. Wrth gychwyn eto, troes ataf gyda'r geiriau, 'Chaiff neb wybod ar fy ôl i' – a gwyddwn yn burion y byddai hi'n siŵr o gadw'i gair. Gadewais yr oen yng ngofal dynion y Mart, a mynd am Gapel Coffa John Elias o Fôn ag aroglau hendrwm ar fy nillad a'm dwylo. Mi fyddai ambell wrthdaro fel yna yn digwydd o bryd i'w gilydd rhwng y ddwy swydd, ond mi lwyddais yn rhyfeddol bob tro i ddod allan ohoni.

Bu'r wobr yna yn sêl y Gaerwen yn gaffaeliad mawr imi gael fy nerbyn yn aelod cyflawn o frawdoliaeth y sêl a'r ffermwyr ym Môn. Chwarae teg i'r *Daily Post*, rhoesant eitha hysbŷs i mi trwy nodi imi gipio'r wobr a'r pris uchaf yn fy sêl gyntaf. Rhaid i mi gyfaddef, mi aeth y llwyddiant i 'mhen i braidd, nes peri imi gynyddu'r praidd ac ehangu'r terfynau. Cefais denantiaeth cae eto yng Ngwyddelyn Fawr gan y tyddynnwr hamddenol, Fred Lewis. Roeddwn yn fwy na rhyw sbrigyn o ffermwr erbyn hyn, a mynychwn y sêl yn gyson yn y Gaerwen ac yn Llangefni, ac ambell fore Llun yn y Fali hefyd.

Arwydd arall o'm cynnydd oedd imi brynu trelar ar gyfer y car ac, i ddilyn y ffasiwn, byddai'r trelar gen i ymhob sêl rhag ofn imi weld bargen. Rwy'n cofio'n dda brynu deg o gyplau o ddefaid bach yn sêl y Gaerwen ar bnawn Mawrth. Roedd deg dafad fach yn llenwi'r trelar i'w ymylon, felly penderfynais roi'r deg oen bach ar sedd gefn y car, yn saethu drwy'i gilydd fel pysgod. Stopiais am damaid o gig efo Ifan y bwtsiar yn Llannerch-y-medd, a thra bûm efo'r bwtsiar, tyrrodd plant o gylch y car mewn rhyfeddod. Daeth un ohonynt ataf yn frysiog a, chyn fy nghyrraedd, gofyn: 'Plîs wnewch chi werthu un o'r pŵdls yna i mi?' Rhyfedd meddwl fod neb yn hen dre'r porthmyn heb wybod y gwahaniaeth rhwng ci rhech ac oen bach! Rwy'n cofio hefyd werthu hwrdd Texel croes i Twm Bwlcyn yn y Gaerwen unwaith, a Twm yn ei fedyddio'n 'Emlyn'. Dychmygwch!

Wedi rhai blynyddoedd o fagu ŵyn a defaid masnachol, rhois fy mryd ar gael praidd o ddefaid pedigri Suffolk, er y gwyddwn y byddai praidd o'r fath allan o gyrraedd ffermwr bach tlawd. Fe'm cynghorwyd, os am gychwyn i fyd y pedigri, y gallwn gael praidd o waedoliaeth dda yn weddol rad pe baent yn oedrannus, a'r bridiwr wedi codi praidd iau o lawer. Cytunodd John Williams, Penlan, bridiwr Suffolk adnabyddus, i werthu pymtheg o hen ddefaid imi am bris rhesymol, a'r rheini wedi rhedeg efo maharen o waedoliaeth arbennig iawn. Bu'r fenter yn eitha llwyddiant ar y cyfan ac fe'm codwyd rhyw ris neu ddwy yn hierarchaeth y farchnad. Yn sêl yr hyrddod fe werthid pob oen maharen ar ei ben ei hun mewn cylch, gyda'r perchennog yn ei gerdded a'i arddangos i'r gynulleidfa a rythai'n feirniadol ar bob darpar faharen o'u seddau theatrig. Rhaid imi gyfaddef na chodais i ddim uwch na'r trydydd dosbarth yn fan'ma, ond diolch byth mi oedd yna ambell un arall yn perthyn i'r un dosbarth.

Un o gyfeillach y trydydd dosbarth oedd John Bull o Walchmai. Un da oedd John, ac ar gyfrif safle ein stoc daeth John a minnau yn eitha cyfeillion. Rhyw drâd digon anwadal fyddai yna yn sêl yr hyrddod. Weithiau fyddai dim cynnig o gwbwl, ac yn y seli gwaelaf byddai'r cyfaill o Walchmai ar ei orau mewn gwreiddioldeb. Gan amlaf byddai John yn gwirfoddoli i fynd gyntaf – 'i drio'r dŵr', fel y dywedai. Rwy'n cofio un o'r achlysuron hynny a phawb ohonom yn y cefn yn gwrando'n eiddgar am lais yr ocsiwnîar, Edward Hope. Bonheddwr tawel oedd Mr Hope, yn llawer iawn rhy ddymunol ar gyfer y gwerthwyr garw. Bu'n ymdrechgar ryfeddol wrth drio cael cynnig o blith ei gynulleidfa fud, ond dim ebychiad gan neb. Cododd tymheredd y bugail o Walchmai yn uchel iawn pan gyhoeddodd Edward Hope yn llawn cydymdeimlad, 'It doesn't sound very promising, I'm afraid . . .' Rhoes John dro ar ei sawdl ac un gilwg dywyll ar yr ocsiwnîar, gyda phwniad i'r hwrdd i fynd yn ôl am y cefn. Erbyn hyn roeddwn innau'n barod i gychwyn yng ngheg yr ali. Holais (er y gwyddwn yn iawn), 'Werthist ti, John?' Daeth yr ateb gyda'r troad, 'Mae'r blydi Hope 'ma'n *hopeless* heddiw.' Ambell dro mi fyddai 'na fynd da ar bethau, a phob rhyw ddosbarth o hyrddod yn gwerthu fel byns poeth, a fyddai 'na neb yn uwch ei glod i Edward Hope bryd hynny na John Bull!

Dro'n ôl bellach, wedi deall nad oedd John yn dda ei iechyd, mi alwais heibio iddo yn ei gartref ym Maes Meurig, y Gwalchmai. Er tristwch mawr i mi, roedd llais ac ysbryd John wedi machlud. Llwyddais i droi'r cloc yn ôl i ambell bnawn Mercher yn y sêl yn Llangefni a gwenodd John o'r diwedd. 'Chwarae teg i Hope,' meddai, 'mi wnaeth ei orau efo pethau gwael fel oedd gynnoch chi a fi.' Pan godais i fynd trodd John gydag ymdrech, gan ofyn yn ddistaw, fel y bydd dyn gwael, 'Sut y bydd hi arna i yn y ring, Richards bach?'

Ond nid bugeilio a'r farchnad fu'r unig gyfrwng a chyfle imi glosio at y gymdeithas amaethyddol ym Môn. Bu'r fuddugoliaeth ar siarad cyhoeddus i golegau Cymru yn allwedd hwylus imi at Ffederasiwn Clybiau'r Ffermwyr Ifainc. Ar ddechrau'r chwedegau roedd siarad cyhoeddus yn uchel iawn ar eu rhaglen drwy'r wlad. Mae'n amlwg y cafodd Sam Jones a'i 'fabi', y BBC, gryn ddylanwad ar gymdeithasau ieuenctid yng nghefn gwlad Cymru. Fe'm gwahoddwyd i bob Clwb Ffermwyr Ifanc drwy'r ynys i'w dysgu, eu hymarfer a'u hyrwyddo mewn siarad cyhoeddus. Cefais gyfle gwych i ennyn diddordeb yr ieuenctid hyn yn y grefft, a bu'n gyfle i minnau ddod i adnabod a chyfeillachu efo sawl cenhedlaeth o ffermwyr Môn. Bûm hefyd yn beirniadu'r gystadleuaeth droeon yn sirol ac yn genedlaethol ac, yn 1998, fe'm hanrhydeddwyd yn llywydd eisteddfod y mudiad.

Mae hi'n anodd meddwl am unrhyw fudiad arall gwirfoddol i rai ifanc rhwng deg a chwech ar hugain oed a roes amgenach cyfle ac addysg ymarferol, ac un lle'r oedd yr hŷn yn gofalu am yr iau, a hynny'n rhoi i'r ifanc batrwm o gyd-fyw. Pa ryfedd i bartneriaeth oes gael ei ffurfio rhwng sawl cwpwl yn y gymdeithas hon. Daw dau o'r rheini y cefais y fraint o'u priodi yn fyw iawn i'm cof: Edward, Ffordd Deg, Llanddona, ac Elizabeth, Glasgraig Isaf, Rhosybol – dau o aelodau selog iawn y clybiau. Bu i'r ddau ohonynt ganlyn a charu yn ddigon agored, eto synhwyrent y gallai dydd eu priodas fod yn gyfle i rai o branciau a thriciau aelodau'r mudiad. Yn hwylus iawn roedd capel y Groeslwyd, Rhosybol, dan ripârs a heb weinidog. Rhoes hyn reswm da dros symud y lleoliad. Daeth y ddau i'm gweld yn hwyr un noson, wedi cuddio'r car rhag i neb o'r ysbïwyr ddod heibio. Roeddynt yn hynod o nerfus ynglŷn â'r diwrnod mawr ac roedd o'r pwys mwyaf na ddeuai'r stori i glyw neb ond y teulu a'r gwahoddedigion. Cytunwyd ar ddyddiad ac amseriad. Roedd y brecwast yng Ngwesty'r Gadlys yng Nghemais. Wedi gor-rybuddio am breifatrwydd yr achlysur, ymadawodd y ddau i'r nos afagddu rhag i neb eu gweld efo'i gilydd yn nhŷ'r gweinidog. Y noson cyn y briodas, cefais alwad ffôn yn reit hwyr. Roedd y neges, mewn llais ifanc, yn un fer ac i bwrpas, ac yn ddi-enw:

'Mi fyddwn ni yna i *gyd* fory!'

Y nefoedd a ŵyr, beth allai dyn ei ddweud na'i wneud ynglŷn â'r peth? Doedd wiw hysbysu Edward o'r sefyllfa, ac yn siŵr doedd wiw yngan gair wrth Elizabeth neu fe allaswn fod wrth yr allor fy hun bach fore Sadwrn. Gwawriodd y bore gyda'r dyrfa fwyaf a welwyd yn cylchu capel Bethesda – bron cymaint ag a welwyd yno i weld a gwrando'r diwygiwr mawr, Evan Roberts. Aeth y briodas fechan dawel yn achlysur mawr a swnllyd, gydag arwyddion a saethau gwynion ar y ffordd yn arwain pawb a phopeth i gapel Bethesda.

Yn naturiol, gan fod Rhosybol ar garreg fy nrws, dyna'r clwb yr ymwelwn ag o fwyaf cyson. Cawsom gantoedd o hwyl yn ymarfer ac yn paratoi areithiau at gystadlaethau siarad cyhoeddus. Dros y blynyddoedd fe gafwyd cryn lwyddiant – daw i'r cof enwau'r ddarlledwraig Nia Thomas; Enid Jones, Tai Hen, a Helen, Y Geufron. Yna enwau fel Jac y Sarn ac Elfed, y ddau o Lanfechell. Er cystal siaradwyr oeddynt, roedd un gwendid amlwg yn perthyn i'r ddau yma, a diffyg rheolaeth oedd hwnnw. Edrychwn ymlaen yn eiddgar at noson y gystadleuaeth un tro, gan fy ngosod fy hun yng nghanol y gynulleidfa swnllyd. Aeth John ymlaen i'r rostrwm, gan frasgamu o blith y cystadleuwyr eraill. Cyn iddo lawn gyrraedd ei bulpud taniodd ei araith nes deffro'r gynulleidfa i fonllef o gymeradwyaeth. Roedd angen tipyn o areithiwr i nofio drwy'r fath sŵn, ond mi lwyddodd John yn syndod gyda gwên dalog, gan fwynhau'r achlysur. Elfed oedd ei gyd-siaradwr a chychwynnodd yntau ar gêr rhy uchel o lawer iawn gan faglu dros ambell air. Fel yr âi yn ei flaen ymddangosai ambell air brith iawn yma ac acw, oedd wrth fodd calon y gynulleidfa ifanc, wrth gwrs, ond llithro'n ddyfnach, ddyfnach yn ei sedd a wnaeth y tipyn athro gan wadu fod a wnelo fo ddim â'r ddau.

Mae dwy aelod arall na allaf eu hanghofio o Glwb Rhosybol – Lisa Plas a Siân Emlyn. Os bu llond tŷ o fywyd ac o fwrlwm, wel dyma nhw. Galwad ffôn gan Siân amser cinio dydd Sul: 'Ga i ddŵad draw acw pnawn 'ma i ga'l practis siarad?' Ar bnawn Sul – i bregethwr! Ond un fach awchus oedd hi, ac un amhosib i'w gwrthod gan y gwnâi hi bopeth â'i holl egni ac â'i holl galon. Cyrhaeddodd yn wên lond ei hwyneb, bron yn chwerthin, a'i hysgub o wallt melyn yn donnau bywiog.

Eisteddwn i wrando arni yn areithio, nid yn unig â'i llais ond â'i llygaid a'i hwyneb ifanc. Ond pam, O! pam, ar y nos Sadwrn honno yn mis Mawrth 1992, a hithau ond dwy ar hugain oed, y lladdwyd Siân Emlyn mewn damwain erchyll, a hithau yn cychwyn ar ei thaith yn ôl i'w gwaith yn ysbyty enwog Papworth?

Y Siân a fynnem ni
A hawliodd Duw.

Roedd Lisa, Plas Llaneilian, o'r un anianawd yn union â Siân Emlyn ac o'r un oedran. Mi fyddai Lisa hefyd wrth ei bodd yn galw yn y tŷ acw, ac yn awyddus tu hwnt i wneud yn dda. Rwy'n cofio ateb y drws rhyw gyda'r nos braf yn nechrau haf, a Lisa'n mynd heibio imi fel corwynt ac yn dweud, 'Meddwl wnes i, gan fy mod i'n pasio y baswn i'n troi mewn ichi gael gwrando ar fy araith.' Rhoes dair tudalen fawr i mi a sefyll â'i chefn at y lle tân. Edrychodd i'r nenfwd a ffwrdd â hi. Yn fuan wedi hynny gafaelodd hen afiechyd diollwng yn Lisa fach, a chanol Ionawr 1999, a Chapel Mawr Amlwch yn fwy na llawn o bobol ifanc yr ynys, mi delais deyrnged i Lisa.

Nid yn unig mi gefais fy nerbyn fel ffermwr bach a hyfforddwr clybiau ffermwyr ifanc ar yr ynys, ond cefais hefyd fy anrhydeddu â mynediad i gylchoedd siwt a thei! Bûm yn ŵr gwadd droeon wrth fyrddau cinio'r ddwy undeb amaethyddol ar yr ynys – Undeb Cenedlaethol yr Amaethwyr ac Undeb Amaethwyr Cymru. Fe welodd Undeb Amaethwyr Cymru yn dda hefyd i'm gwobrwyo, yn 1998, â Gwobr y Garreg Fawr, gwobr a roddir mewn cydnabyddiaeth o wasanaeth i'r gymuned.

Trwy fy nghysylltiad â'r undebau amaethyddol, cefais wahoddiad i siarad mewn pob mathau o achlysuron eraill. Rwy'n cofio, wrth fwynhau cinio da gan Gymdeithas Holstein Gogledd Cymru a Chaer, ddyfalu beth ar wyneb Duw y ddaear a ddywedwn i wrth y rheini? Un peth oedd codi i ddweud gair mewn achlysuron eglwysig a

Mam yn ferch ifanc tua deunaw oed.   *Nhad ar ddydd fy mhriodas i.*

F'ewyrth Rolant yn cynnull (rhwymo ŷd) ar Fynydd y Rhiw,
a Phorth Neigwl yn y cefndir.

Pan oeddwn fabi! 1931 oedd hi.

Doedd camera ddim yn cael ei ystyried yn un o angenrheidiau bywyd yn yr oes honno, felly dyma fi bellach yn 18 oed! Efo saer y pentra a ffrind da, Gruffydd Owen, Congl-y-meinciau (ar y chwith) yn 1950.

Yn Ysgol Pont y Gof yn 1939. Fi yw'r trydydd o'r chwith yn y rhes flaen; Mair, fy chwaer, yw'r drydedd ferch o'r chwith yn y rhes ganol, a Robin, fy mrawd, sydd ar y dde eithaf yn yr un rhes. Gwelir y prifathro, Lewis Roberts, y tu cefn inni.

Yng Ngholeg y Bala, 1953 – yr ail o'r chwith yn y cefn.

Wedi cyrraedd y rhes flaen! Coleg y Brifysgol, Bangor, 1955.

Coleg Diwinyddol Aberystwyth, tua 1958 – ar y dde yn y cefn.

Sam Jones yn cyflwyno Cwpan y BBC i'r siaradwr cyhoeddus gorau yn 1962.

Derbyn 'Brysgyll Y Cymro' am siarad cyhoeddus, eto yn 1962. O'r chwith: Cynwil Williams, D. Ben Rees a fi.

Dora a minnau ar ddydd ein priodas yng Nghapel Isa, Abererch, yn 1961.

Pedair cenhedlaeth. O'r chwith: Nain, fi, Mam a Ruth yn Ael-y-bryn, Cemais, yn 1965.

Ruth a fi, a'r gath yn ein hedmygu!

Pedwar fu'n weinidog yn eu tro ar Gapel Bethesda, Cemais. O'r chwith:
Meurig Roberts, fi, R. Maurice Williams a Griffith Owen.

Dosbarth WEA 'yr Ardal Wyllt' – cylch Llanfair-yng-Nghornwy –
yn nechrau'r wythdegau.

Ailafael yn y 'ffarmio'! Ruth ar gefn Mostyn y Mul yn 1972.

Diwrnod trist – marchnad Bob Parry, Llangefni, yn cau wedi 50 mlynedd ar ddydd olaf 1997.

A dyma'r gweinidog yn cneifio'i ddefaid, mewn dull digon hen ffasiwn erbyn hyn.

Fy nghyfaill, Morgan Evans yr arwerthwr, ar ddechrau ei yrfa ym Mart y Gaerwen, yng nghanol y chwedegau.

*Derbyn gwobr 'Y Garreg Fawr' gan Undeb Amaethwyr Cymru, a'i llywydd,
Bob Parry, yn ei chyflwyno imi.*

Cyflwyno gwobr yn Sioe Môn (y Primin), fel ei llywydd yn 1998.

Y dosbarth derbyn olaf i mi fel gweinidog – pobl ifanc Capel Bethesda, Cemais, yn 1996.

Yr un flwyddyn, arwain gwasanaeth yng Ngardd Gethsemane. Achlysur bythgofiadwy.

Roedd yn rhaid cael llun arbennig wedi'i dynnu ohonof wrth ymddeol!

Dau Fonwysyn mewn gwisg wen. Y meddyg David Owens a fi yn Eisteddfod Genedlaethol Môn, 1999.

Yn ôl yn yr hen gynefin yn Llŷn. Efo Harri, fy mrawd, yn y Sarn yn 2001.

Dora (ar y chwith eithaf) efo merched o Fôn ar Gomin Greenham yn y saithdegau.

Yn y brotest fawr yn Llundain cyn rhyfel Irac. ('Heddwch' mewn degau o ieithoedd sydd ar y placard.)

Harri Parri yn cefnogi hen gyfaill trwy brynu un o'i lyfrau! Eisteddfod Genedlaethol Môn, 1999.

chrefyddol, ond Cymdeithas Holstein? Penderfynais ddweud peth o'm hanes yn dechrau gweini yn hogyn pedair ar ddeg oed, ac fel y dysgais un o wersi pwysica fy mywyd, sef dysgu dygnu arni waeth pa mor anodd bynnag fyddai'r dasg, neu pa mor oer bynnag fyddai'r hin. Chefais i rioed well cymeradwyaeth – a'r rheini'n ffermwyr cefnog cylch Caer!

Ond heb os, yr anrhydedd bennaf a dderbyniais ym myd amaeth – neu unrhyw fyd arall, am wn i – oedd cael fy ethol gan Gymdeithas Amaethyddol Môn yn llywydd y sioe flynyddol, neu, yn iaith Môn, 'Primin Môn'. Dyma achlysur pwysicaf y flwyddyn i'r rhelyw o drigolion yr ynys, yn ogystal â phobol o'r tir mawr – 'Does *wiw* inni golli'r Primin.' Rwyf mor ddiolchgar i John y Sarn am roi f'enw gerbron Cyngor y Sioe, ac i'r Cyngor am gefnogi fy enw, a diolch hefyd yn siŵr i Aled, gweinyddwr y Sioe. Ar faes y Primin, ganol Awst bob blwyddyn, fe gyferfydd y wlad a'r dref, a daeth y sioe hon yn thermomedr gwerthfawr i fesur ansawdd amaethyddiaeth ym Môn yn ogystal ag ansawdd cymdeithasol yr ynys.

Yn 1998 y bûm i'n llywydd y Primin, y flwyddyn yr oedd Ynys Môn yn noddi'r Sioe Frenhinol (gydag Owen Gwilym Thomas, Chwaen Goch, Llannerch-y-medd, yn llywydd ac yn cynrychioli'r ynys). Cefais lawer o'i gwmni a'i gyngor y flwyddyn honno. Trefnodd Clybiau Ffermwyr Ifanc yr ynys wasanaeth o addoliad yng nghapel Moreia, Llangefni, y pnawn Sul cyn i'r Sioe Frenhinol agor y bore canlynol, a gofynnwyd i mi, fel llywydd Sioe Môn, i arwain y gwasanaeth arbennig hwnnw. Roedd Phil Fowlie (y cadeirydd) hefyd yn cymryd rhan yn y gwasanaeth. Fel y gŵyr y neb a'i hadnabu, does yna'r un munud llwydaidd yng nghwmni Phil!

Un o ddatblygiadau pwysicaf blwyddyn fy llywyddiaeth fu agor y Neuadd Fwyd newydd ar safle'r Primin, ar gost o gan mil o bunnoedd, a bu'r Neuadd hon yn fodd i godi proffeil y sector prosesu bwyd yn y sir. Bu dau ddiwrnod

Sioe Môn pan oeddwn i'n llywydd arni'n fwynhad pur i Dora a minnau. Cawsom ein tywys yn freiniol o gylch y maes gan y Cadeirydd a'r Cyfarwyddwr. Nid rhyw edrych yn ffenest y siop, megis, a gawsom ond ein croesawu tu ôl i'r cownter, a chael cwmni'r arddangoswyr balch – a sylwi bod cymaint o falchder mewn dangos y ceiliog dandi gorau ag a oedd mewn ennill y wobr uchaf efo'r tarw gorau neu'r ceffyl gwedd gorau. Yna, ar derfyn pob dydd, disgwylid inni gyflwyno'r gwobrau, yn fathodynnau a chwpanau. Wrth wneud hynny, teimlwn awydd dweud:

> Pe bawn i'n frenin, drwy ryw hap,
> Yn gwisgo coron yn lle cap . . .

Ar gyfer noson 'Cinio'r Llywydd', dewisais drefnu adloniant ysgafn gan y credwn mai rhoi i bobl y cyfle i ymlacio a mwynhau a weddai orau i'r achlysur. Gofynnais i ffermwr ac ocsiwnîar gymryd at yr adloniant, a phwy'n well i ddifyrru pabellaid o ffermwyr na ffermwr arall yn ogystal â'r dyn a ymdrechai i werthu eu hanifeiliaid? Fe gaed y ddau yng nghymeriad Trebor Edwards, y canwr poblogaidd, a Glyn Owen, y storïwr doniol (ynghyd â'r telynor dawnus, Dylan Cernyw), a chawsom noson i'w chofio.

Yn yr anrhydeddau hyn i gyd, fe'm croesawyd i ganol bywyd amaethyddol Ynys Môn. Wedi'r cwbwl, dyma yw ei phrif ddiwydiant o hyd, a'r bywyd amaethyddol yw anadl einioes ei chefn gwlad. Ond dichon y gofyn rhywun, tybed a yw gweithgareddau o'r math yma, ar hyd a lled yr ynys, yn rhan o rôl gweinidog Methodist? Onid cadw o fewn libart ei ofalaeth a ddylai'r gweinidog a pherson y plwyf?

Efallai, pe bawn i'n ddigon gonest i gyfaddef, mai ymgais ar fy rhan i dorri cwys newydd a gwahanol oedd y cyfan. A dweud y gwir, mi fu gen i f'amheuaeth ers rhai blynyddoedd a oedd y weinidogaeth draddodiadol yn gosod y gweinidog bellach yn y lle hwnnw sy'n wir 'ffrynt' y genhadaeth Gristnogol, a theimlais droeon awydd torri'n gwbwl rydd o'r hualau. Ond doedd yna ddim digon o iau ynof i wneud hynny.

Traed dros y Tresi

'Mae'n haws protestio yn erbyn na gweithio dros rywbeth,' meddai rhywun rywdro. Er bod 'na rywfaint o gyfiawnhad dros ddweud peth felly, mae'n siŵr, nid dim ond rhyw fytheirio gelyniaethus yn erbyn pawb a phopeth yw pob protestio a gwrthdystio. Sawl 'eithafwr' trwy'r canrifoedd sydd wedi llwyddo i newid pethau er gwell yn ei gymdeithas – yn wir, wedi llwyddo i newid y byd?

Fe awgrymwyd i mi fwy nag unwaith na fyddai gweithredu'n brotestgar o fantais i mi fel gweinidog Methodist – i'r gwrthwyneb, y gallasai fod yn anfantais dybryd imi lwyddo 'i godi galwad well', beth bynnag yw ystyr y gwell!

Fel y crybwyllais eisoes, roedd fflam heddychiaeth wedi ei thanio ynof er yn ifanc iawn. Synhwyrais y byddai'n anodd cerdded rhyw lwybr canol a chuddio fy argyhoeddiadau dan lestr ac, yn wir, credwn y byddwn yn anonest yn ceisio gwneud hynny. Credais ar y dechrau y byddai rhoi pinsiad neu ddwy o heddychiaeth ym mhob pregeth yn ddigon i dawelu fy nghydwybod ond, rywfodd, teimlwn fod angen mwy na phregethu egwyddorion Cristnogol. O bryd i'w gilydd dôi cyfle i godi llaw mewn Cwrdd Misol neu Sasiwn dros gefnogi llythyr protestgar i'r Swyddfa Ryfel neu at y Prif Weinidog, ond rhyw act ddiniwed iawn oedd codi llaw mewn Undeb, Synod neu Sasiwn. Teimlwn reidrwydd i godi llais a chodi placard a sefyll ymhlith cenhedlaeth ifanc a oedd wedi eu dadrithio gan yr eglwys: gwrthdystio a sefyll a chyhoeddi mewn ffordd amrwd a gwahanol i'r llythyru parchus.

Roeddwn yn bedair ar ddeg oed pan ddaeth y rhyfel i

ben ac yn hwylio i adael yr ysgol. Gadawodd y rhyfel argraffiadau amlwg arnaf: daliaf i wingo wrth gofio pobol yn Llŷn yn cael eu galw'n sarhaus yn 'gonshis', a'r rheini'n bobol ragorol a didwyll eu hargyhoeddiadau. Doedd hi ddim yn hawdd ar wrthwynebwyr cydwybodol, a bu'r groes yn rhy drom i sawl un. Caent eu hanwybyddu a'u difrïo gan fyd ac eglwys, ac roedd y llanw'n gryf yn eu herbyn yn y wasg ac ar lwyfannau'r wlad.

Un digwyddiad y bu cryn sôn a siarad yn ei gylch yn Llŷn yn y cyfnod yma fu'r gwrthdaro rhwng dau focsiwr pwysau trwm yng Nghyfarfod Misol Llŷn ac Eifionydd – y Parch. Morgan Griffith, gweinidog Capel Penmount, Pwllheli, a Mary Jones, Tŷ Capel, Pantglas. Fyddai dim rhyw lawer o fraster ar straeon y Cyfarfod Misol i bobol Llŷn fel arfer, ond roedd hon yn stori a digonedd o waith cnoi arni! Pwy fyddai fyth yn meiddio croesi'r seraff o Benmount, naill ai o barch neu o ofn, gan y gallai fod yn ddaeargi ffyrnig efo'i wrthwynebwyr? Ond, yn ôl y sôn, yr heddychwraig gadarn o Bantglas a orfu yn yr ornest honno yn y Cyfarfod Misol ac, am dro, fe drawodd y rhyfelgi o Benmount ar ei fatsh.

Bu achlysur arall a gadarnhaodd fy heddychiaeth. Ychydig cyn imi adael Aberystwyth fe'm llethwyd â'r ddannodd ryw fore, ond er imi chwilio'n ddyfal nid oedd modd cael deintydd am bris yn y byd i'm rhyddhau o'r boen. Awgrymwyd enw Niclas y Glais imi, ond ofnwn braidd y byddai'n ddiogelach imi oddef y ddannodd. Er imi gael croeso hamddenol braf gan yr hynafgwr yn ei dei bô, daliwn i amau'n fawr beth allasai ddigwydd – roedd Niclas druan yn crynu'n ddireol braidd – pan roes bigiad rywle yng nghyffiniau'r dant dolurus. 'Mi ad'wn ni bethau am funud,' meddai'r deintydd, a dechreuodd holi a seiadu'n gartrefol. Mi anghofiais y ddannodd ac fe anghofiodd Nicholas iddo fod yn ddeintydd erioed. Soniodd yn ddwys a chrynedig am ei brofiadau chwerw ac anodd fel heddychwr. 'Does gan fyd nac eglwys ddim lle na chroeso i'r heddychwr. Ond cofiwch hyn,' meddai ymhellach, gan godi'i lais, ' "Gwyn eu byd y tangnefedd-wyr".' Mi fu'r driniaeth a ddilynodd yn achos poen dirdynnol imi am ddyddiau lawer gan i dwll y dant fynd yn septig o'r radd waethaf, ond fe erys gwefr cyfarfod â'r enaid mawr hwnnw yn fyw iawn yn fy mhrofiad.

Trwy'r blynyddoedd mi lynais wrth fy argyhoeddiad – fod pob rhyfel yn groes i ddysgeidiaeth Iesu Grist – a bu i'r argyhoeddiad hwnnw ddyfnhau a thyfu i'r fath raddau fel y cawn hi'n anodd i oddef rhyw dduwiolion yn ceisio cyfiawnhau y fath erchyllterau â rhyfel. Bu sawl anghydfod cenedlaethol a rhyngwladol i gadw pob mudiad heddwch yn effro ar ôl imi ddod i Fôn. Ffurfiodd Margery Grove-White a minnau gangen CND Cemais a Llanfechell, a byddem yn cyfarfod i bwyllgora wrth dân coed braf ym mhlasty'r Brynddu. Dyma blasty'r Bwcleaid, gyda'r Uwchgapten William Grove-White yn ddisgynnydd uniongyrchol. Fe roes y plasty gryn dipyn o barchusrwydd i'r gangen a bu'n fodd i dawelu ambell feirniad bach rhyfelgar. Er hynny, yn iaith Sir Fôn, doedd yna ddim rhyw 'focha bodlon' i fudiad heddwch yn yr ardal, ac yn sicr doedd hi ddim yn gorwedd yn esmwyth iawn fod gweinidog efo'r Methodistiaid yn ymhêl â nhw.

Byddem yn cyfarfod fel cangen bob Nadolig i anfon cyfarchion yr Ŵyl i rai oedd yn garcharorion dros eu daliadau heddychol mewn gwledydd fel yr Almaen, Israel, Sweden, yr Unol Daleithiau a'r Undeb Sofietaidd. Bu'r ymarfer hwn yn fodd i'n dwyn i gyswllt â phobol oedd yn dioddef o ganlyniad i'w hargyhoeddiadau heddychol, yn arbennig pan dderbyniem atebiad i ambell gyfarchiad.

Yn ystod fy nhymor fel Cadeirydd CND Môn gwnes gais i gael annerch plant ysgolion uwchradd y sir ar heddychiaeth. Credwn, os oedd swyddogion y Fyddin a Chorfflu'r Cadlanciau yn cael pob rhyddid i gyfathrebu â'r ifanc – nid yn unig i siarad yn yr ysgolion, ond i recriwtio a militareiddio plant mor ifanc â deuddeg oed –

y dylai heddychwr gael yr un cyfle. Fe'm siomwyd yn fawr gan agwedd sawl cynghorydd a fethai weld fod yna unrhyw gyfiawnhad dros roi'r ochor heddychol drosodd i'r plant. Atebwn innau ei bod hi'n llawer amgenach i blant wybod rhywbeth am egwyddorion heddychiaeth nag am ddialedd rhyfelgwn ein llyfrau hanes.

Heb os, y symudiad mwyaf gwreiddiol ar ein rhan fel mudiad heddwch ym Môn fu prynu maes – cae bychan ar groesffordd yr A5 sy'n arwain i faes awyr yr Awyrlu yn y Fali. *Safle*'r maes a'i gwnâi'n werthfawr i ni'r heddychwyr – reit dan drwyn pawb a âi i'r maes awyr! Buom yn ddraenen yn ystlys yr awdurdodau, yn cyhwfan ein baneri a'n bathodynnau heddwch. Gweithredwyd ar ein rhan yn ddeheuig gan y cyfreithiwr, John Meredith. Gan fod Ruth yn cyrraedd ei deunaw oed ar y pryd, pa anrheg gwell allai hi ei gael na derbyn siâr mewn darn o dir ynys ei maboed? Bu'r 'Maes Heddwch', fel y'i gelwid, yn safle delfrydol i hysbysebu ac i gynnal ein gweithgareddau, ac yn droedfan werthfawr inni ar lwybr yr awdurdodau milwrol. Ond, er mawr siom inni, bu i lwybr y ffordd ddeuol newydd o'r Borth i Gaergybi lyncu'r cae bach yn ei raib ar ei daith i'r porthladd. Bellach, gyr y byd ei gerbydau dros y llecyn hwnnw o Fôn oedd yn gysegredig i bob heddychwr ar ddechrau'r wythdegau.

Cyfarfyddem hefyd o bryd i'w gilydd wrth y cloc yn Llangefni ar foreau Sadwrn. Byddai'r merched yn cynnal stondin i rannu bathodynnau heddwch ac i werthu llenyddiaeth y mudiad, a chaem areithiau ar faterion y dydd. Yn y cyfnod diddorol yma y deuthum i gysylltiad â'r Parchedig Ddr Owie E. Evans, heddychwr cadarn oedd yn meddu ar bersonoliaeth annwyl ac enillgar. Buasai Owie wedi bod yn ased i unrhyw fudiad heddwch. Mi fedrai areithio'n danbaid gan chwipio llywodraeth y dydd, ac fel gweinidog Wesle gallai dynnu'i law dros ben y ci mwyaf brathog! Er na fyddai'r gynulleidfa yn lluosog dan y cloc, fe gaem foddhad wrth geisio dweud wrth bobol faint oedd hi o'r gloch mewn byd mor ryfelgar.

Aem weithiau fel grŵp cyn belled â Llundain – i'r Tŷ Cyffredin – i gyfarfod yr Aelod Seneddol, Keith Best. Gadael stesion Bangor yn gynnar yn y bore un tro – Megan Môn, Joan Fraser, Nan Morgan, Margery Grove-White, Owie E. Evans a minnau, ynghyd â chriw o fyfyrwyr. Roedd un ffactor yn gwahaniaethu Owie a minnau oddi wrth weddill y criw, a bwyd oedd hwnnw. Mae heddychwyr, boed hen neu ifanc, yn medru byw ar y gwynt (neu'r peth agosaf at wynt – crisps a lemonêd), ond fedrai'r ddau bregethwr ddim: roeddem ein dau'n rhy gynefin â chywion ieir a thatws rhost y saint ar y Sul i neb drio'n perswadio i fyw ar grisps. 'Wli, mi fydd raid i ni gael cinio iawn ar ôl cyrraedd Euston. Mi wn i am le da,' meddai Owie, a chytunais innau. Teimlwn yn euog ryfeddol wrth eistedd tu ôl i ginio mawreddog yn gwisgo syrfiét gwyn llaes, ac yn meddwl am y criw yn disgwyl amdanom, â'u trwynau yn y crisps, mor swnllyd â hwch mewn sindars. Ymaith â ni cyn hir am afon Tafwys a'r Senedd-dy, lle cawsom afael ar Keith Best yn ôl y trefniant. Fel pob Aelod Seneddol fe'n hysbyswyd bod ei amser yn brin. A ninnau wedi'n corlannu i stafell fechan hynafol, credai'r bargyfreithiwr ifanc na fyddai fawr o dro yn ein llorio. Sythodd o'n blaenau i aroglau llethol nionod y crispwyr o Fôn, ond buan iawn y torrwyd ar draws llifeiriant ei arabedd gan Meg Prytherch a Nan Morgan; fu'r ddwy ferch athrylithgar dro bach yn dweud wrth yr Aelod Seneddol fod yna 'ffordd arall', ac mai dyna pam y bu inni deithio'r holl ffordd o Fôn i Lundain.

Pobol a oedd, am wahanol resymau, wedi dieithrio o lan a chapel fyddai partneriaid Owie a minnau ar yr ymgyrchoedd hyn, ond cawsom ein dau gyfeillion da iawn iawn ynddynt – yn wir, cyfrifem hwy ymhlith ein cyfeillion agosaf.

Gyda'r ymgyrchu a'r protestio dros heddwch, ac yn

arbennig yr areithio cyhoeddus ar stryd neu mewn neuadd, bu i'r wasg a'r cyfryngau fy rhoi mewn llun, print a llais. Gwnes ryw fath o enw i mi fy hun fel protestiwr, yn hytrach nag fel heddychwr, a deuthum yn darged hwylus i ambell newyddiadurwr diog ac ymchwilydd gan y gwyddent yn iawn mor awchus fyddwn i i ddweud gair dros heddwch byd. Gyda'r blynyddoedd fe dawelodd protestiadau'r myfyrwyr, yn enwedig ar gwestiwn heddwch, ac o ganlyniad fe gâi ymgyrchoedd ac ymgyrchwyr lleol fwy o sylw o lawer gan y cyfryngau.

Roeddwn yn ymwybodol iawn y byddai'n bryder i bobol fy ngofalaeth weld eu gweinidog yn areithio ar sgwâr y dref ym Mangor, neu dan y cloc yn Llangefni ac, yn waeth fyth, yn galfio dros weiren bigog a ffens ar faes yr Awyrlu yn y Fali – ffens na chaniateid i gwningen fynd trwyddi heb sôn am oddef gweinidog corffol yn brasgamu drosti. Crëwyd sefyllfa oedd ar adegau yn reit ddirdynnol. Bu cyfeillgarwch agos a chefnogaeth fy nghymydog, Emlyn John, yn werthfawr tu hwnt imi ar adegau felly, ac yn symbyliad i ddal ati. Erbyn hyn, wrth edrych yn ôl, rwy'n fwy argyhoeddedig nag erioed mai dyma'r llwybr y bwriadwyd imi ei gerdded, ac os oedd gen i gyfraniad o gwbwl i'm cymdeithas, sefyll dros heddwch a chyfiawnder oedd hwnnw.

Clywais sawl gweinidog yn ymffrostio iddynt gael y fath fraint o gyd-bregethu â 'sêr' y pulpud yng Nghymru – cewri fel Matthews Ewenni, Philip Jones, Tom Nefyn a John Williams, Brynsiencyn. Does gen i ddim ymffrost felly. Ond *mae* gen innau destun ymffrost – cefais rannu llwyfan a chydareithio â chewri'r mudiadau heddwch. Dyma nhw – ac rwy'n eu cofio, ac yn cofio'r amgylchiadau, heb gofnod. Siarad dros Gymdeithas y Cymod yn Rhuddlan yng nghwmni'r llenor a'r heddychwraig nodedig honno, Nesta Wyn Jones o Drawsfynydd. Yn y Steddfod – ym mhle, deudwch – cefais fy hun yn cydannerch â'r anfarwol Meredydd

Edwards: wannwl, dyna ichi bregethwr! Siarad efo'r Dr John Large, wedyn, yn Theatr Seilo, Caernarfon. Achlysur neilltuol arall oedd y fraint o gyflwyno, wrth fynedfa'r Awyrlu, fyfyriwr o Ddwyrain Timor, Estevao Cabral, gŵr a welodd erchyllterau uffern dân grym Indonesia (gyda'i hawyrennau Hawk a brynwyd gan Lywodraeth Prydain, a'u peilotiaid wedi eu dysgu yn y Fali i ladd). Yn ystod yr un ymgyrch y dois i i gysylltiad gyntaf â'r actores Judith Humphreys, y ferch a wnaeth ac a wna gymaint dros dlodi'r Trydydd Byd. Ond mi fûm i'n rhannu pulpud efo 'pregethwrs go iawn' hefyd – dau ohonynt, y Parchedigion Pryderi Llwyd Jones a John Owen, Rhuthun – nid mewn Sasiwn na Chymanfa, ond wrth fynedfa maes yr Awyrlu yn y Fali. Yno hefyd, ar achlysur arall, y bûm ysgwydd wrth ysgwydd efo'r annwyl Anna Jane ac Eurig Wyn. Ac fel pob pregethwr brolgar arall, gallaf ddweud, 'a llawer iawn eraill'.

Yn ogystal â gwrthdystio ac annerch cyfarfodydd, deuthum i gredu bod llythyru i'r wasg yn ffordd effeithiol o gael y neges drosodd i gynulleidfa ehangach. Anfonais ugeiniau o lythyrau (trwy'r blynyddoedd) i bapurau newydd, o'r *Cymro* i'r *Independent*, ac o'r *Anglesey Mail* i'r *News of the World*. Onid yw'n bechod i *ddarllen* y fath bapur â'r olaf heb sôn am gyfrannu iddo?! Sylwais un tro fod hwnnw'n cynnig gwobr o ddecpunt am lythyr byr, beiddgar a bachog. Cefais ddecpunt am hwn:

> Sir,
> President Clinton warned in a public statement: 'We must stop weapons of mass destruction falling into the wrong hands.' Whose are the *right* hands?
>
> *News of the World*, 30 Tachwedd 1997.

Wedi blynyddoedd o lywodraeth Dorïaidd, codwyd fy ngobeithion gydag ethol llywodraeth Lafur ond fel llawer arall fe'm siomwyd yn fawr. Mewn colofn o bytiau byrion yn yr *Independent on Sunday* yr ymddangosodd y pwt nesaf yma, ar 15 Mawrth 1998:

Tony Blair seems to deny his conversion to Catholicism. Next he'll be denying his conversion to Toryism!

O gael y gair a'r enw o fod yn brotestiwr, fe ddeuai galwadau dros achosion eraill o dipyn i beth. Er imi fod mewn cyswllt agos ag Atomfa'r Wylfa o'r cychwyn – fel ysgrifennydd y Gaplaniaeth yno, ac yna fel Caplan rhan-amser wedi i'r Parch. Arthur Meirion Roberts adael – dros y blynyddoedd deuthum yn amheus o ynni niwclear ac o'r atomfeydd a'i cynhyrchai. Yn naturiol, yr amheuaeth gyntaf i mi fel heddychwr ac aelod o CND oedd y berthynas rhwng yr atomfeydd ac arfau niwclear. Wrth gychwyn y gorsafoedd Magnox fe ystyrid trydan fel is-gynnyrch i'r plwtoniwm a gynhyrchid ar gyfer arfau niwclear. Os nad oes cysylltiad rhwng yr ynni a'r arfau, pam felly bod America a Phrydain mor daer eu gwrthwynebiad i wledydd fel Iran ddatblygu rhaglen niwclear sifil? Fe siglodd cwestiynau o'r fath fy ffydd a'm hofnau ynghylch atomfeydd. Ffactor arall bwysig iawn ynglŷn â'r atomfeydd yw'r gwastraff ymbelydrol a gynhyrchir; hyd yma, does dim ateb boddhaol sut i'w waredu, er cael addewid ar gefn addewid ers hanner canrif a mwy bod gan y pwerau mawr ateb i'r broblem. Deuthum i'r casgliad ers tro bellach mai'r unig ffordd i gael gwared o wastraff ymbelydrol yw peidio â'i gynhyrchu! Pwy all beidio â phrotestio wrth feddwl ein bod ni, y genhedlaeth bresennol, yn gadael y fath domen o wastraff gwenwynllyd i'n plant a phlant ein plant? Heb sôn am y ffaith bod gofyn cyfri'r gost ariannol o ddelio â fo yn y biliynau yn barod. Ond y cwestiwn o ddiogelwch ac iechyd y cyhoedd sy'n brawychu dyn. Siglwyd ffydd pawb gyda damwain ddifaol Chernobyl a'i chanlyniadau erchyll. O ystyried hyn oll, pa ryfedd imi roi traed dros y tresi wrth chwilio a chwalu am atebion i gwestiynau o dragwyddol bwys.

Yr hyn â'i gwnâi hi'n anodd i mi wrth wrthwynebu a phrotestio yn erbyn yr Atomfa oedd bod cynifer o drigolion ardaloedd fy ngofalaeth fel gweinidog, a llawer o drigolion yr ynys yn gyffredinol, yn dibynnu arni am eu bywoliaeth, a honno'n fywoliaeth dda iawn. Roedd llawer iawn o'r gweithwyr hyn yn gyfeillion ac yn gymdogion i mi, a medrwn gydymdeimlo â nhw a deall pam y cadwai ambell un o'r oedfa. Aeth rhai mor bell â dweud y byddai'n haws i mi wrthwynebu pe bawn yn symud i rywle arall! Ond aros wnes i, ac ymdrechu i geisio ateb i'r cwestiynau oedd yn poeni cynifer. Nid galw am *gau* yr atomfa yr oeddwn, ond galw am sicrwydd ei bod hi'n ddiogel ac na fyddai ei bodolaeth yn amharu ar iechyd y genhedlaeth a fyddai'n ein dilyn.

Cyn diwedd yr wythdegau, gwnaed cais gan Nirex, y corff sy'n atebol i'r llywodraeth ac sy'n chwilio am safloedd addas i gladdu gwastraff niwclear, i gael gwneud hynny ar yr ynys – credai'r corff hwn fod daear Môn yn addas a phwrpasol i fod yn fynwent o'r fath. Datganwyd gwrthwynebiad cryf gan yr holl Gynghorau Cymuned a phob rhyw gymdeithas fach a mawr. Ffurfiwyd pwyllgor dan yr enw awgrymog MAM – Mudiad Amddiffyn Môn – ac etholwyd Handel Morgan yn ysgrifennydd a minnau'n llywydd, gyda'r Arglwydd Cledwyn o Benrhos yn Llywydd Anrhydeddus. Roedd yn bwyllgor unol iawn, ac roedd llawer o'i lwyddiant i'w briodoli i waith arbennig Handel Morgan. Roedd hi'n bleser llywyddu cyfarfodydd, a chynifer o bobl Môn y tu cefn inni ac yn cefnogi pob ymdrech ac ymgais. Dyna braf oedd hi – gair o ddiolch ar y stryd, a sawl blaenor ar y Sul yn diolch yn llaes ac yn gynnes! Traed dros y tresi, a phawb yn llongyfarch ac yn gefnogol! Rhyfedd o fyd. Rhyw ugain mlynedd ynghynt chododd neb law na llais yn erbyn codi atomfa ar benrhyn yr Wylfa, ond yr atomfa honno a gynhyrchai'r gwastraff.

Methiant fu ymgais y llywodraeth i droi Ynys Môn yn fynwent niwclear. Bu i MAM amddiffyn ei phlant i'r eitha, gyda dadleuon megis y byddai'r fath gynllun yn ddigon i unrhyw fuddsoddwr tebygol gadw draw oddi yma am byth.

Tua'r un amser, ar ddiwedd yr wythdegau, daeth cais gan y Bwrdd Trydan Canolog i godi atomfa eto ym Môn – Wylfa B. Daeth yn amlwg yn fuan iawn fod y gwrthwynebiad yr un mor gryf i atomfa arall ar yr ynys ag a oedd i gladdu'r gwastraff yn ei daear. Ffurfiwyd pwyllgor i'r pwrpas gyda'r enw PAWB – 'People Against Wylfa B' – enw sydd wedi glynu'n ddiollwng. Heb os, Dylan Morgan fu'r symbylydd amlycaf yn yr ymgyrch hon. Roedd Ynys Môn bellach dan adain Cyngor Sir Gwynedd a rhoes y cyngor hwnnw ei gefnogaeth i'r ymgyrch yn erbyn Wylfa B. Galwyd arnaf i annerch rhai o'r cyfarfodydd cyhoeddus. Tueddai Cyngor Bwrdeistref Môn i gefnogi'r cais, ond yn y diwedd fe ildiodd y llywodraeth eto oherwydd gwrthwynebiad di-ildio pobol yr ynys dan arweiniad PAWB, ac oherwydd fod buddsoddwyr yn amharod iawn i roi eu harian i hyrwyddo ynni niwclear.

A hithau'n tynnu at ddiwedd y ganrif, a minnau wedi ymddeol ers tair blynedd, gobeithiwn yn fawr y byddai pob protest drosodd a phawb yn canu 'nghlod! Ond nid felly y bu.

Ar 1 Ebrill 1998 ffrwydrodd cynddaredd pobol Môn unwaith eto, ond yn ffyrnicach y tro hwn na'r troeon cynt. Fe gyhoeddwyd adroddiad yr Archwiliwr Dosbarth i afreoleidd-dra Cyngor Ynys Môn. Mi fu rhyw sôn ym mrig y morwydd ers tro, ond bellach dyma'r gwirionedd ar ddu a gwyn mewn adroddiad deifiol. Yn ôl yr adroddiad, roedd camwri'r cynghorwyr yn cynnwys cytundebau amheus, defnyddiau ar goll, anghysonderau cynllunio ac anrhegu amheus gan gontractwyr i swyddogion a chynghorwyr. Gwnaeth Ceri Stradling – yr Archwiliwr – ddeuddeg argymhelliad, gan bwysleisio y dylai'r Cyngor ddisgyblu'n hallt y cynghorwyr hynny a enwyd yn yr adroddiad, ac awgrymu y dylid eu diswyddo. Nid rhyfedd i'r fath adroddiad gynddeiriogi trigolion yr ynys wrth iddynt sylweddoli bod ei henw da hi'n cael ei dynnu trwy'r baw. Yn naturiol, roedd y fath sgandal yn gwmwl trwchus iawn dros y Cyngor.

Pan gyfarfu'r Cyngor am y waith gyntaf i drafod yr adroddiad yn Neuadd y Sir, er eu syndod a'u braw roedd yno gryn ddau gant o'r ynyswyr wedi cyrraedd o'u blaenau, yn hogi eu harfau ar gyfer y frwydr oedd ymlaen. Sôn am gynnwrf! Hawdd oedd gweld ar wynebau'r cynghorwyr ofnus ei bod yn edifar ganddynt iddynt erioed ofyn am bleidlais neb i fynd i'r fath le. Roedd yn bedlam hollol y tu mewn, a'r gwrandawyr hefo mwy i'w ddweud na'r cynghorwyr. Wrth gwrs, doedd gan yr un cynghorydd droed i sefyll arni gyda'r fath adroddiad damniol. Yn yr awyrgylch drydanol oedd yno, ac mewn ymateb cwbwl ddigymell i'r fath sefyllfa, cododd y werin fel un gŵr yng ngwres y funud. Heb gymaint â phwyllgor na phleidlais ffurfiwyd mudiad newydd sbon – 'Llais y Bobol'.

Doedd gen i mo'r osgo leiaf (heb sôn am awydd) i fynd i'r frwydyr, ond rywfodd ches i ddim dewis. Roeddwn yno ynghanol pobol a'u lleisiau yn fyddarol o'm cwmpas. Dyma fel y rhoes gohebydd y *Daily Post* y peth: 'The protest had thrown up some unofficial leaders, ranging from shop-keeper Dylan Morgan to ministers of religion like Emlyn Richards and Hywel Davies of Llangefni, and Walter Glyn Davies, a school governor.' Hyrddiwyd y pedwar ohonom at ein gilydd. Bu Dylan a minnau, wrth gwrs, mewn ymgyrchoedd gwrth-niwclear cyn hyn, ac fel y soniais eisoes bûm yn weinidog ar Walter am gyfnod. Roedd peth gagendor rhwng Hywel a minnau yn ddiwinyddol ond, yn y cyfwng hwn, wrth geisio sefyll dros degwch i bobol, nid yn unig fe ddaethom yn agos at ein gilydd ond yn gyfeillion da. Yn wir, ffurfiwyd y

110

pedwar ohonom yn gylch bach clòs. Roeddem yn gwbl unol am fod gennym achos a fyddai'n uno unrhyw bedwar a garai les eu cyd-bobol.

Roeddem yn ymwybodol iawn fod ar bobol Môn angen cyfeiriad ac arweiniad, a rhywun i drefnu a sianelu pethau fel bod modd iddynt gael mynegi eu barn a'u beirniadaeth yn gyhoeddus – wedi'r cwbwl, dyheadau'r mudiad y cawsom ein hunain yn arweinwyr iddo oedd yn cyfrif, ac nid ein barn ni'n pedwar. Ymunodd eraill a oedd yn awyddus i ysgwyddo'r cyfrifoldeb hefo ni: y Parch. Owen Evans (Bodffordd), Gwyn Morris Jones, Fflur Hughes, Rhian Medi a'r Dr J. B. Hughes, ac etholwyd y tri olaf yn gynghorwyr yn yr etholiad a ddilynodd.

Cryfder Llais y Bobol oedd yr hinsawdd o wrthwynebiad cadarn i'r hyn a ddigwyddodd yn y Cyngor. Trefnwyd cyfarfodydd cyhoeddus, gyda chaniatâd Morgan Evans, yn un o stafelloedd arwerthu eang y Cwmni ym Mart y Gaerwen. Gofynnwyd i mi gadeirio a llywio'r cyfarfod rhyfeddol hwnnw. O bob sefyllfa y ces fy hun ynddi erioed, dyma'r un fwyaf dyrys a fu ar fy mhen erioed. Pan gyrhaeddais yno, roedd y lle yn suo efo ceir a phobol, a chamerâu y Cyfryngau yn hofran fel eryrod o gwmpas. Mi rown y byd yn grwn am gael dianc o'r fath sefyllfa. Synhwyrais y byddai raid camu'n rhyfeddol o ofalus mewn gair ac ystum. Roedd yr awyrgylch yn llawn trydan, gyda rhai cannoedd o bobol o bob cylch o fywyd mor unol ag un gŵr yn eu barn a'u beirniadaeth. Mae yn adeilad helaeth Mart y Gaerwen hen rostrwm mawr hardd o ffawydd coch, sy'n debycach i bulpud mewn capel nag i gowntar ocsiwnîar, ac yng ngodra hwnnw y safwn i, a Walter wrth fy ochor. Gwthiai'r merched, Rhian a Fflur, rhwng y dyrfa glòs efo'u pwcedi casglu, a'r gynulleidfa'n fwy na pharod i gyfrannu at achos mor deilwng. 'Fasa'n well iti ddechra, 'rhen foi,' meddai Walt, hefo'i wên naturiol. Euthum i'r pulpud a wynebu'r gynulleidfa fwyaf a welais ers tro byd.

Sylwais, er fy llawenydd, fod rhes o flaenoriaid a diaconiaid yn y sedd flaen! Roedd y gweddill yn fôr o wynebau a phob un yr un fath yn union â'i gilydd. Gwyddwn yn burion y byddai raid ennill y rhain bob un yn y tair brawddeg agoriadol. Pe methwn, mi fyddai gorfoledd yng Nghyngor Sir Môn na cheid taw arno. Doedd hon yn sicr ddim yn gynulleidfa i neb *ddarllen* ei bregeth iddi. Dyma roi cynnig arni: 'Eich noson *chi* ydi hon. Rhoi mynegiant i'ch llais chi ydi'n busnes ni, ac mae isio i'r llais hwnnw gyrraedd Cynghorwyr Môn.' Dyma fanllef: bron na welwn y stêm yn codi! Newidiais y cywair am funud: 'Mi fyddai John Elias yn cael hwyl ar werthu'r meddwon tua Caergybi 'na flynyddoedd yn ôl, ac yn ôl y sôn mi roedd hi'n ddigon di-gynnig yno.' Yna rhois egwyl fach cyn codi'm llais i ryw hanner bloedd: 'Gwerthu cynghorwyr yr ydw i – Cynghorwyr Môn. Oes yna gynnig?' Daeth bloedd o'r llawr: 'Nagoes! Pwy sy'u *hisio* nhw?'

Bu'r tri a'm dilynodd yn ddigon doeth, byr a bywiog i ennill y dyrfa yn llwyr. Ar waetha pob pryder ac ofn bu'r noson yn eitha llwyddiant. Cafodd y Wasg a'r Cyfryngau eu gwala a'u gweddill o sgandal a straeon am 'y cyfarfod yn y Gaerwen', a chafodd y bobol hwythau destun sgwrsio am yn hir iawn. Y brif neges i ddod allan o'r cyfarfod yn y Mart oedd galw am gefnogaeth i'r alwad am ymddiswyddiad pawb a enwyd yn adroddiad yr Ymchwilydd Dosbarth. Trefnodd y Cyngor Sir bwyllgor adolygu arbennig i ystyried argymhellion yr adroddiad, dan gadeiryddiaeth Michael Farmer, y bargyfreithiwr. Ffurfiwyd panel o bum cynghorydd yn cynrychioli'r grwpiau politicaidd o fewn y Cyngor. Buont yn cyfarfod yn wythnosol gydol ddechrau haf 1998, mewn cyfarfodydd cyhoeddus, a chafodd cynrychiolwyr Llais y Bobol eu cydnabod a'u gwrando yn y cyfarfodydd hyn. Cynorthwywyd y panel yn ei waith gan arbenigwr mewn llywodraeth leol, Bryan Mitchell o'r Swyddfa Gymreig. Rhoes Michael Farmer hefyd bob cyfle trwy'r panel i'r 'Llais' gyflwyno sylwadau ysgrifenedig a llafar.

Rwy'n ymwybodol iawn ei bod hi'n anodd cynnal y math yma o ymgyrch dros gyfnod estynedig, ac y byddai'n annichon datblygu Llais y Bobol i fod yn fudiad ffurfiol, parhaol. Gwnaethom yr hyn a allem ar y pryd, yn gwbwl ddigymell ac amhleidiol, gan amcanu bod yn llais dros bawb i geisio adfer ffydd a hyder pobol yr ynys mewn gwleidyddiaeth. Ond, bellach, wedi holl dreialon a chynnwrf 1998, graddol anghofio y mae pobol, wrth gwrs.

Ar wahân i'm swydd a'm safle fel gweinidog Methodist yn Sir Fôn, fe roddwyd llyffethair arall arnaf i geisio'm cadw o fewn i'r tresi. Cefais alwad ffôn gan Doctor Hywel Jones ryw bnawn. I ni, greaduriaid meidrol, mae yna rywbeth yn chwithig mewn cael eich galw *gan* ddoctor. 'Fedrwch chi alw yma – y pnawn 'ma os yn bosib?' Roedd yna ryw ias o argyfwng o gwmpas yr alwad ddieithr honno. Wrth feddwl a phetruso tyfodd yn argyfwng go iawn. Cyn pen dim roeddwn wrth ddrws Cynfor. Doedd dim yn wahanol yn y Doctor, ar wahân iddo fy ngwâdd i'r rŵm ffrynt – fel arfer, eistedd yn y gegin y byddem. Ar archiad y meddyg mi eisteddais, ond cyn imi nythu i'r gadair esmwyth, meddai: 'Mi ydw i isio i chi fy nilyn i fel Ustus Heddwch.' Cyn i mi wedyn gael cyfle i ymateb, aeth yn ei flaen: 'Mi rydw i'n "seventy" mis nesa ac mi fydd raid imi riteirio, ac mi rydw i'n reit siŵr mai chi ydy'r dyn i fy nilyn i'.

Am dro, doedd gen i goblyn o ddim byd i'w ddweud, er y gwyddwn yn iawn beth oeddwn *am* ei ddweud. Mewn tipyn, dyma'i mentro hi: 'Doctor annwyl, nid y fi ydi'r dyn i'ch dilyn i fanna; mi glywais am botsiar yn troi'n gipar ond . . . ' Gwelwn siomiant lond ei wyneb, a pharodd imi ddifaru imi ateb mor bendant: fynnwn i er dim dramgwyddo Doctor Hywel, achos dyma'r cyfaill a'r cefnogwr gorau fedrai gweinidog fyth ei gael. Roedd wedi ymaelodi yn un o gapeli lleiaf y cylch ac ni chollai oedfa, er iddo fod yn aml ar alwad. Gwelais ben Mary yn nrws Moreia fwy nag unwaith ar bnawn Sul yn galw'r doctor at ei waith, a chlywsom ef yn protestio dan ei ddannedd, 'Beth sydd *ar* bobol yn mynd yn sâl ar bnawn Sul?' Roedd yn gymeriad o ddiddordebau eang, yn ddramodydd ac yn hanesydd lleol, ond yn rhyfedd iawn roddai dim fwy o foddhad iddo na bod yn flaenor a thrysorydd ym Moreia. Y fo hefyd fyddai'n hel y casgliad, ac fe wnâi swydd mor ddibwys â honno yn wahanol i bawb arall. Byddai'n gofyn i bawb yn uchel: 'Sut ydach chi'r pnawn 'ma?' Yna, cyn eu gadael, byddai'n diolch yn gynnes am a roesent. Byddai Llew y Glo yn eistedd yn y sedd gefn. 'Sut hwyl, Llew?' gofynnai'r casglwr. 'Mi rydan ni'n dda iawn ein dau, diolch, Doctor.' Ia – ein dau! Oddi tan y dop côt fawr roedd daeargi bach del, a byddai Llew wedi gadael y capel tra canem yr emyn olaf rhag i'r saint weld y lorri fach wrth y capel a bag neu ddau o lo ynddi i rywun.

Rhois gynnig arall arni i wrthod gwahoddiad y cyfaill i'w ddilyn fel Ustus Heddwch. Er mwyn dianc o hualau'r munudau dirdynnol yn y rŵm ffrynt, awgrymais y buaswn yn meddwl am y peth a rhoi gwybod rhag blaen. Ciliodd y siomiant a gwenodd y doctor yn gynnil, hanner bodlon.

Ar fy ffordd adra, wrth feddwl am y peth, gwelwn Emlyn y Protestiwr yn cael ei garcharu am byth mewn llyffetheiriau o barchusrwydd. Chlywais i erioed am aelodau'r Fainc yn protestio ac yn cyhwfan baneri yn erbyn dim. Onid busnes yr Ynad fyddai cosbi'r protestiwr beiddgar, beth bynnag fyddai diben ei ymgyrch?

Yn y cyfamser ces lythyr gan Gwilym Williams, Pen-y-sarn – un o ynadon y Fainc yn llys Amlwch. Roedd Gwilym fel pe bai'n medru darllen fy nilema heb drafod y mater. Gair syml yn fy llongyfarch yn ffurfiol oedd y llythyr, ond roedd un frawddeg fel pe bai'n cuddio ynghanol y dymuniadau da: 'Cofiwch, mae'r Fainc yn gyfla da i helpu pobol mewn gwahanol amgylchiadau'.

Aeth ymlaen: 'Mae'n gyfla unigryw iawn. Manteisiwch arno.' Roedd gen i gryn feddwl o farn gytbwys Gwilym bob amser, a bu ei lythyr, ynghyd â'm meddwl uchel o Doctor Hywel, yn fodd imi dderbyn rhywbeth na freuddwydiais erioed y buaswn yn ei dderbyn, ac yn sicr na chwenychais. P'run a oedd hynny'r cymhelliad iawn i neb dderbyn y fath gyfrifoldeb, nis gwn.

Cystal imi gyfaddef, fu hi ddim yn hawdd arnaf. O bob sefyllfa y ces i fy hun ynddi, dyma'r fwyaf anodd. Yn gam neu'n gymwys mi sefais wrth fy argyhoeddiadau heb wyro na newid dim. Ymatebais i bob galwad a gwahoddiad a gefais i annerch mewn ymgyrchoedd protesgar, boed hynny ar y stryd ym Mangor neu wrth fynedfa'r Awyrlu yn y Fali, ac er fy naliadau heddychol mi lwyddais hefyd i eistedd yn gwbwl ddiduedd yn y llys i wrando achos o ddamwain yn Atomfa'r Wylfa.

Rwy'n cofio'n dda yr adeg y daeth achos o 'blismona' eogiaid ger ein bron yn Amlwch. Teimlwn yn sobor o euog: wedi'r cwbwl, bûm innau'n botsiar yn nyddiau fy ieuenctid efo Robin fy mrawd! Rhaid oedd bod rhyw Ragluniaeth ddirgel wedi fy nghadw rhag bod efo Robin y noson honno y daliwyd o a'i ddwyn gerbron y Fainc ym Mhwllheli. Fe allwn sicrhau'r potsiar hwnnw yn y llys yn Amlwch y diwrnod hwnnw y medrwn gydymdeimlo i'r byw efo fo!

Fe wireddwyd geiriau Gwilym Williams lawer gwaith, a chefais sawl cyfle i helpu pobol ifanc a deimlent eu bod yn wrthodedig gan bawb, gan gynnwys eu haelwydydd eu hunain, ac wedi'u hymlid a'u herlid gan eu cymdeithas a chan y system. Roedd gofyn dangos a gweithredu mesur o gydymdeimlad mewn achosion o'r fath, a manteisiais ar bob cyfle a gawn i ddweud gair wrth droseddwyr ifanc a fyddai ar y llwybyr tuag at wneud galanastra lwyr o'u bywydau. Rwy'n cofio cydeistedd efo Richard Vaughan Jones, Fferm Cremlyn, Biwmaris, a fonta'n awgrymu: 'Pregeth bach fyddai'r ateb gorau yn yr achos yma,

Richards!' Ar y llaw arall fyddai dim yn peri mwy o dristwch imi na'r achosion hynny pryd na fyddai yna ddewis ond carchar. Anobeithiwn wrth weld ambell lanc ifanc yn mynd i lawr y grisiau heb dad na mam i roi gwên neu nòd o gariad iddo. Mi ddeuthum i adnabod rhai o'r troseddwyr yn reit dda gan y byddent yn ymddangos yn gyson. Rwy'n cofio'n dda gyfarfod y mwyaf adnabyddus ohonynt ar y Stryd Fawr yng Nghaergybi a hwnnw yn fy nghyfarch efo'r geiriau: 'Hello, Softy'! 'Sgwn i ai cymeradwyaeth ynteu condemniad oedd y fath gyfarchiad?

Bellach, rwy'n ddiolchgar am yr ugain mlynedd a gefais ar y Fainc. Bu'n gyfle ychwanegol i ddod i adnabod y gymdeithas a'r diwylliant yr ydan ni bawb yn byw ynddynt. Credaf imi lwyddo i ryw fesur i gadw'r potsiar a'r cipar dan yr un to. Roedd dau beth i gyfrif am hynny: mesur o ddoethineb a synnwyr cyffredin, debyg, a'r cyfeillion da a wneuthum ymhlith aelodau'r Fainc – yn wir, cefais gefnogaeth lawn gan bob un. Gwelais hefyd ferched ifanc deallus yn glercod y Fainc a'r rheini'n gweinyddu'r gyfraith mewn iaith rwydd (Cymraeg, os byddai gofyn), ac nid yn ymddwyn efo rhyw ffug-awdurdod gor-deyrngar.

Ond bellach, i mi, mae'r maglau *wedi*'u torri, a'm traed yn gwbwl, gwbwl rydd!

Gollwng

Pan oeddwn yn un o ddeiliaid y llofft stabal yn Llŷn erstalwm, dau air cyfarwydd iawn i mi oedd 'daliad' a 'gollwng'. Golygai 'daliad' dymor o waith ar ffarm (a'r 'daliad' yna wedi dod, meddan nhw, o'r hen air 'dal', am roi ceffyl yn y tresi). Am y llall ('gollwng'), waeth i mi heb â cheisio gwella ar y diffiniad o'r gair (yn y cyswllt amaethyddol) a roir yng Ngeiriadur y Brifysgol – 'dadfachu ceffylau ar ddiwedd daliad'. Pa ryfedd, felly, pan ddaeth hi'n amser imi ymddeol o'r weinidogaeth, mai gweld fy hun yn cael fy ngollwng o'r tresi ar derfyn dydd yr oeddwn innau!

Mae yna ryw bethau ynglŷn â'r busnes riteirio yma sy'n hawlio tipyn o sylw ac o drefniant. Rwy'n cofio'n dda mai'r arwydd a'r rhybudd cyntaf a ges i fy mod innau'n cyrraedd y dalar oedd derbyn llyfr newydd sbon drwy'r post. Nid llyfr i'w ddarllen na'i astudio ond llyfr i hawlio cyflog gan y Cwîn tra byddwn i byw. Hwn ganodd y gloch i mi fy mod i bellach yn bensiwnîar. Ond tydi o'n beth od fel y mae rhyw gerrig milltir mewn bywyd y buon ni'n edrych ymlaen yn arw atynt yn ymddangos yn rhyw siomedig braidd ar ôl inni eu cyrraedd? Felly'n hollol y teimlwn i ynglŷn â'r garreg filltir hon.

Rwy'n cofio'r bora hwnnw'n dda pan euthum ar ben naw y bora 'â'm llyfr yn fy llaw' – nid i'r ysgol nac ychwaith i'r Eglwys, er ei bod hi'n ddydd Gŵyl Sant Swithin! Yn hytrach, mynd i'r Swyddfa Bost, oedd yn llawn o bobol ar yr un perwyl â minnau, a meddwl yn sobor wrth edrach ar y ciw – y nefoedd fawr, tydw i rioed mor hen â'r *rhain*? Trin a thrafod yr oeddan nhw'r bora hwnnw y sôn a'r siarad fod Swyddfeydd Post mewn perygl o gau. Meddyliais mewn difrif fy mod newydd adael un mudiad oedd yn cau capeli, a dyma fi'n joinio un arall oedd am gau swyddfeydd! Agorodd gŵr y post y llyfr newydd gan ledu ei adenydd stiff, ac yna daeth clec sydyn y stamp ar y ddalen newydd gynta un. Y foment y clywais y glec, 'Dyna hi,' meddwn wrthyf f'hun, 'mi fydda i'n hen am byth bythoedd rŵan'.

Y foment y dois i'n bensiynwr, cawn fy nghyfarch gan bawb efo'r geiriau: 'Ew, mi rydach chi'n edrach yn *dda*.' Eraill yn mynd gam ymhellach: 'Argol fawr, mi rydach chi'n edrach yn *ifanc*' – a neb yn meiddio ychwanegu 'a meddwl eich bod chi *mor hen*'! Penderfynais cyn gadael Swyddfa'r Post y bora hwnnw o ddydd Sant Swithin na fyddai'r 'gollwng' yn ddiwedd pob dim – yn rhyw seiding diddigwydd a disymud.

Mae'n debyg mai'r pwysicaf o'r trefniadau yr oedd yn rhaid i Dora a minnau eu gwneud wrth i mi ymddeol oedd dod i benderfyniad ym mhle y byddai'n trigfan. Hyd y gwelem ar y pryd, roeddem am aros yng Nghemais. Mae'n wir y rhoesom ystyriaeth i'r syniad o symud yn ôl i Eifionydd neu i Lŷn, ond er syndod inni doedd yr un ohonom yn neidio at y cynnig: roedd gormod wedi newid yn y ddwy ardal er pan adawsom ni nhw dros ddeugain mlynedd ynghynt. Felly, gadawyd cwestiwn y mudo a'r symud ar y bwrdd, er mawr ryddhad inni'n dau.

Yn sgil y riteirio, daeth cyfle i roi mwy o amser i rai pethau oedd eisoes wedi rhoi cryn bleser i mi – darlithio yn eu plith. Ers hynny, teithiais laweroedd o filltiroedd i fynd i ddarlithio i gymdeithasau mawr a bach, o gymdeithasau capeli Môn a Llŷn i Gymdeithas y Gwyneddigion yn Llundain! Yr un yw'r testunau, waeth beth fo'r lleoliad – 'Dylanwadau'; 'Dafnau oddi ar y bargod'; 'Amser i bob peth'; 'Tydan ni'n bethau od?', ymysg sawl testun arall.

Dro'n ôl bellach, hefyd, trwy berswâd Gruffudd Parry, fe ffurfiodd Harri 'mrawd a minnau 'ddeuawd' – un yn canu a'r llall yn siarad! Harri oedd y canwr, wrth gwrs – canwr baledi – a minnau'n rhoi tipyn o'u hanes a'u cefndir. Mae'r math yma o arlwy mor wahanol ac eto mor gyffredin: yn gwbwl newydd, ac eto'n hen gynddeiriog. Cafodd y ddau ohonom oriau o bleser wrth ddifyrru cynulleidfaoedd yn y ffordd yma. Yn wir, pan oedd y gyfrol yma o fewn ychydig dyddiau'n unig i gael ei hargraffu, mi anfonodd Harri faled newydd sbon danlli i mi drwy'r post – baled o waith Glyn Roberts, Pwllheli. Brensiach annw'l, amdana *i* mae hon! Gan y bydd Harri yn ei chanu hi hyd y wlad 'ma am flynyddoedd, reit siŵr, wna i ddim ond cynnwys yma ddetholiad bach o'r rhes penillion sydd ynddi – digon ichi gael gweld bod traddodiad y faled yn fyw ac yn iach o hyd ar Benrhyn Llŷn!

Cofio'r blynyddoedd dedwydd
A wnei y dyddiau hyn:
Oriau'r plentyndod cynnar
Ar aelwyd Llidiart Gwyn.
Chwarae a byw'n ddibryder braf,
A gweld pob dydd fel hirddydd haf.

Crwydro hyd lonydd gwledig,
A'r fro heb siw na miw;
Y Lôn yn swatio'n dawel
Wrth odre mynydd Rhiw,
A'r teulu'n tyfu, un ac un,
Yn wyth o blant ar Benrhyn Llŷn . . .

Llythyru'n chwyrn dros heddwch
A gwrthod plygu glin;
Siglo'r Sefydliad droeon,
Herio'r Sanhedrin blin.
Protestio'n erbyn rhyfel blêr –
Rhyfel anfoesol Bush a Blair.

Boed iti lawer blwyddyn
Eto i wneud dy ran
I frwydro'n erbyn gormes,
I helpu'r gwael a'r gwan;
Cei barch a bri yn harddwch Môn –
Pob bendith arnat, Emlyn Lôn.

Pleser tipyn mwy unig yw'r diléit arall fu gen i ers rhai blynyddoedd, ac y cefais fwy o amser yn sgil yr ymddeol i ymwneud ag o – sgwennu llyfrau! Un peth sy'n cymhlethu pethau erbyn hyn ynglŷn â'r busnas hwnnw i mi ydi na fu gen i rioed na theipiadur na phrosesydd geiriau na chyfrifiadur, ond *mi* lwyddais i ddatblygu o fyd y 'pen-holdar' i fyd y beiro! Yr hyn a'm denodd gyntaf i'r maes yma oedd cael fy hun yn athro ar ddosbarth WEA yn Llanfair-yng-Nghornwy tua dechrau'r wythdegau. 'Hanes Lleol' oedd y pwnc, ond buan iawn y rhoes 'hogia'r Grug' ar ddeall imi eu bod yn gwybod mwy na fi o lawer am hanes eu bro a'u cwmwd. Rhyngom, llwyddodd y dosbarth a minnau i gywain digon o ddeunydd i lenwi cyfrol 165 o dudalennau – *Yr Ardal Wyllt*, a gyhoeddwyd ym Nhachwedd 1983. Lansiwyd hi yng Nghanolfan Llanfair-yng-Nghornwy, gyda'r Arglwydd Cledwyn o Benrhos yn llywyddu, a Richard (Owen), Tyddyn Mieri, wedi dod yr holl ffordd o Aberystwyth ar ran y Cyngor Llyfrau i fod yn y lansiad. Cafodd y rhan fwyaf o'm cyfrolau dilynol – chwech ohonynt! – eu lansio yn adeilad eang Mart y Gaerwen, trwy garedigrwydd arferol fy nghyfaill, Morgan Evans.

I fynd yn ôl i gyfnod yr ymddeol – roedd Dora a minnau'n reit gytûn nad oeddem am ddefnyddio'n rhyddid (yn ein henaint!) i galifantio ar hyd ac ar draws y byd. Mae'n gred gan lawer y dylid manteisio ar ymddeoliad i grwydro ac i ymweld â gwledydd tramor – a phob croeso iddynt. Bu i amryw o'r bobol hyn drio'n ddyfal i'n perswadio i fynd ar rai o'r pererindodau hyn 'i weld y byd', yn lle aros yn ein milltir sgwâr fel pysgod aur mewn pot jam. Ond cofio wnawn i am sawl gwahoddiad a gawsom dros y blynyddoedd i wylio fideos o bobol 'ar eu holides'. Ces fy hun ar sawl pnawn braf yn ista ar glustogau cyfforddus a'r llenni wedi'u cau fel ar ddydd angladd. Dacw lafn o olau llachar main yn atgyfodi'r crymowta yn y wlad bell, a lleisiau gŵr y tŷ a'i wraig yn dechrau ar y sylwebaeth lafar ddiflas ac, mewn dim o dro, y ddau'n dechrau anghytuno a thaeru a dadlau ar draws ei gilydd. Yn wir, âi rhywun i amau a fu'r ddau yn yr un wlad â'i gilydd! Ar ein ffordd adra o un o'r sesiynau hynny y bu imi droi at Dora a chyhoeddi gyda phendantrwydd: 'Os byth y bydd gynnon ni fodd i fynd ar deithia i wledydd pella'r byd, tydan ni ddim am fynd, yli!' Diolch am wraig a oedd yn ddigon doeth i gytuno â mi yn y pethau hyn.

Ond pan benderfynodd Eglwys Bethesda y caem ymweld â Gwlad yr Iesu fel anrheg riteirio, doedd wiw bod yn anniolchgar! Daeth llond bws o bobol efo ni – pobol Cemais a'r cylch. Dyma'r tro cyntaf erioed i mi roi fy nhroed ar fwrdd eroplên, ac rwy'n reit siŵr mai dyma'r tro olaf hefyd. Chlywais i'r fath sŵn erioed – roedd holl gŵn Manceinion yn cyfarth a phob aderyn bach yn ffoi am ei einioes a ninnau, fodau dynol, wedi'n cyfrwyo'n dynn yn ein seddau. Cododd yr anghenfil mawr ar wastad ei gefn, gan ddringo i'r entrychion, a saethu'n ei flaen am oriau lawer . . .

Roedd pob slot ym mhob diwrnod ar y gwyliau wedi'i drefnu'n ofalus iawn, a'n harweinydd o Iddew yn nabod y wlad fel cefn ei law. Un diwrnod, dan haul crasboeth, aethom ar gwch mawr ar lyn Galilea – mor wahanol i'r darlun a gawsom mewn Ysgol Sul. Roedd parti arall efo ni o dde Lloegr, gryn ddau ddwsin efo'u persones – hogan ifanc ddel a chanddi golar gron a bronliain gwyrdd ysgafn, yr un lliw yn union ag ŵy chwiadan. Wedi gwthio i'r dwfn, cododd awel ac aflonyddu dŵr Tiberias, a hwnnw yn ei dro yn ysgwyd y cwch. Sylwais ar fugeiles y praidd arall: roedd yn gwelwi'n gyflym. Rhoes archiad arnaf gyda'r dymuniad: 'Will you take my people and take the service, please? I don't feel well'. Canasom emyn Ieuan Glan Geirionydd, 'Ar fôr tymhestlog, teithio'r wyf...' Wrth gwrs, roedd pobol Cemais yn ymlyfu ar aroglau'r môr – a beth oedd rhyw swelen fach i siglo'r cwch? Roedd yr estroniaid esgobol yn rhyfeddu at y fath ganu, yn enwedig yr aildaro. Gyda'm geirfa brin yn yr iaith fain, rhois bregeth bedwar munud ar hanes Iesu'n rhodio ar y môr, gan nodi'r ffaith nad oes yr un storm mewn bywyd all rwystro Iesu Grist rhag dod at ei bobol. Fe aeth yr homili i lawr yn dda, yn enwedig o gofio'r lle, yr amgylchiadau a'r iaith estronol. Roedd yr offeiriad fenywaidd yn ddiolchgar o gael cyrraedd y lan!

Cychwynasom yn gynnar fore trannoeth i diriogaeth anial a môr arall – y Môr Marw. Roedd yr haul yn llethol heb fath yn y byd o awel. Fe'm sicrhawyd gan un o wybodusion y parti arall fod modd eistedd yn gyfforddus ar y Môr Marw. Euthum i'r môr drewllyd at fy mogail, ac ar awgrym y dyn gwybodus yn y bỳs, eisteddais ar y gadair ddyfrllyd ddi-gefn. Yn gwbl ddisymwth es yn wysg fy nghefn gyda thro crwn dan y dŵr yn y pwll domen ac, yn fy nychryn, anadlu boliad o ddŵr y Môr Marw. Teimlwn fy mod innau'n marw. Nofiodd rhyw Samariad o estron ataf – llabwst o ddyn mawr cryf – ac fe'm rhoed i orwedd ar y traeth chwilboeth, ac yna fy nghario i gysgod un o'r adeiladau, lle holwyd fi'n fanwl gan un a dybiwn a oedd yn feddyg am y swm o ddŵr a yfais. Gellwch feddwl imi ymdynghedu yn y fan a'r lle nad elwyf fyth eto ar gyfyl y Môr Marw.

Erbyn trannoeth roeddwn yn llawer gwell, a braint amheuthun oedd cael mynd i dawelwch gardd Gethsemane, a than gangau'r coed talgryf y torrais y bara a tholltir' gwin. Yno, yn y distawrwydd rhyfedd, dychmygwn weld Jiwdas Iscariot yn llercian yn y coediach, yn nesu at y bwrdd fel hen gi yn begian am damaid, a'i ddau lygaid mawr llonydd yn ennill tosturi. Os cafodd y gwadwr faddeuant, pam na chaiff y bradychwr? Canwyd yn dawel eiriau'r gwerinwr o Eifionydd mewn gwlad estronol:

> Mae'r gwaed a redodd ar y Groes
> O oes i oes i'w gofio.

Roedd rhyw rin rhyfeddol i mi mewn actio'r actau, gweddïo'r gweddïau a llefaru'r hen eiriau cyfarwydd ar eu tiriogaeth wreiddiol – wedi'r cwbwl, dyma'u llwyfan cyntaf – a diolch i bobol garedig Bethesda, Môn, am y cyfle.

Deuthum adra o'r crwydriadau hyn i fyrdd o ddymuniadau da a ffarwelio. Gan fy mod yn weinidog ar naw o gapeli, roedd pob cymdeithas isio datgan ei gwerthfawrogiad a'i ffarwél. Bu'r cyfarfodydd hyn yn llawn o'r doniol a'r dwys. Rhai yn adrodd gydag arddeliad am ryw ddigwyddiadau y gobeithiwn fod pawb wedi eu hen anghofio; troeon eraill y gobeithiwn y *byddai* rhywun yn eu cofio. Yna ton o dristwch wrth sylweddoli fod cynifer o'r bobol a'm croesawodd yma gyntaf wedi mynd; eu plant oedd yma bellach yn ffarwelio.

Cofiaf yn dda y pnawn Sul dirybudd (i mi, felly) yn Siloam, Cemlyn. Byddai mwy o bobol ifanc yn yr oedfa yn Siloam fel arfer nag o bobol hŷn. Y pnawn Sul arbennig yma fe ddaethon nhw i gyd i'r sêt fawr ar derfyn yr oedfa efo presant i'r Gweinidog. Bu'r cyflwyno'n gwbwl ddigymell. Safwn yno yn eu canol yn eu cofio'n fabis bach yn fy mreichiau; cofio priodi eu rhieni a chladdu eu teidiau a'u neiniau. Welodd y rhain na'u rhieni yr un gweinidog arall ond y fi. Pan welais ddeigryn yn eu llygaid bu'n agos iawn i mi ymuno â nhw fel plentyn. Cerdd o waith Cynan, 'Pen Draw'r Byd' (y gerdd olaf a luniodd, mae'n debyg), wedi'i fframio'n gain oedd yr anrheg:

> Troi trwy Uwchmynydd a'i lonydd bach cul,
> Lle mae Amser bob amser yn b'nawn dydd Sul . . .

Dau 'ben draw' a fu mor bwysig yn fy mywyd – Llŷn, a chornel eithaf Sir Fôn – a'r ddau fel pe'n cyfarfod â'i gilydd y pnawn Sul hwnnw.

Ar bnawn Sul braf o Fehefin, 1996, mi bregethais am y waith olaf i eglwysi fy ngofalaeth; daethant i gyd ynghyd i Fethesda, Cemais. Er fy ngwrthwynebiad mynnai Cyfarfod Misol Môn gael 'Cyfarfod Gollwng' swyddogol, yn unol â defod yr enwad. Roeddwn yn falch mai cynrychiolydd yr Henaduriaeth oedd y Llywydd, y Parch. R. J. Evans – hogyn o Lŷn, un cwbl ddiffwdan a di-ffŷs. Fu yna fawr o seremoni – Dic a minnau'n ysgwyd llaw â'n gilydd am y tro cynta rioed, ac yntau'n sibrwd rhyw sylw o'r frest a gwên fawr ar ei wyneb. Tristach na thristwch fu colli Richard John ac yntau ar fin y dalar.

Ymhen Sul neu ddau es i Lŷn i bregethu am y tro olaf fel gweinidog Cemais – i gapel Tŷ Mawr ym Mryncroes, lle troes Mam at y Methodistiaid o'r eglwys gynt. Ar derfyn yr oedfa fe gyflwynwyd imi gerdd o eiddo Gruffudd Parry i nodi'r achlysur. Dyma ran ohoni:

> Troi'r Lôn a'r teulu yn Ffordd,
> Troi Rhydbach a'i wir yn Wirionedd,
> Troi bod yn y byd yn Fywyd,
> A gwybod y Gair yn y geiriau . . .
>
> Atal rhawd yr atomig lwch,
> Geidwad efengyl heddwch;
> Rhoi dy oes er mwyn y Gŵr
> A garodd y gwael eu cyflwr.
>
> Bellach daeth dydd i adael
> Bagad gofalon bugail;
> Eiddunwn aur yr Hydref
> I fedi ffrwyth dy ffydd gref,
> Ac er dy fwyn, gwarchodwn ni
> Y graig y'th naddwyd ohoni.

Trysoraf y gerdd hon gan gyn-athro a chyfaill gyda balchder a gostyngeiddrwydd.

Dichon y bu i ddaliad mor faith yn yr un cae ei gwneud hi'n fwy anodd i ollwng, pwy a ŵyr? Cofiais am gertmon Bronllwyd – Robert John, Sychnant – fel y byddai, ar ôl cyrraedd y dalar a chyn codi'r gwŷdd, yn pwyso rhwng y cyrn yn llawn balchder bodlon. Tynnai'r tun baco allan – hwnnw mor loyw â styllen y gwŷdd – yna rowlio sigarét fain fain, a dal i syllu ar y cefn âr. Robat John wedyn yn gollwng y wêdd gan ddadfachu'r tresi a'u bachu ar ddolenni'r gefndres, a'r wedd yn aflonydd ac yn ysu am fynd adra. Golygfa y rhown y byd am gael ei gweld eto. Felly'n hollol y teimlwn innau wrth edrych yn ôl – yn craffu a chwilio am achos i lawenhau ac i deimlo'n falch fel Robat John. Ond yn fy achos i roedd hi'n llawer haws canfod y brychau. Cofio wedyn fel y byddai Nain yn medru gweu a siarad yr un pryd, ond weithiau dôi galwad sydyn: 'Drapia las, dwi wedi gwneud mistêc – arnat ti roedd y bai yn siarad.' Finna'n holi: 'Be newch chi rŵan, Nain?' 'O, dim ond ei ddaffod o *dros* y mistêc, 'y ngwas i.' Beth roddwn innau, fel Nain, am fedru datod y gwead dros gamgymeriadau fy ngweinidogaeth! Ond diolch yr ydw i, wrth edrych yn ôl, am lecynnau golau, ac am gael credu, heb ymffrostio, na fu'r daith yn ofer i gyd.

Mi sonia'r gŵr o Bantycelyn am gyrraedd y nefoedd, ac y câi yntau 'ddwsued yr hanes':

> Yno caf fi ddweud yr hanes
> P'odd y dringodd eiddil gwan
> Trwy afonydd a thros greigiau
> Dyrys, anial, serth i'r lan.

Mae gan bawb ohonom ei stori – stori na all na gwynt na glaw nac amser ei chwalu byth.

TEYRNGEDAU

EMLYN LÔN

R. W. GRIFFITH (ROBS PENTRA)

Wedi cyrraedd yr oed i adael yr ysgol mi es inna, fel y
rhelyw o fechgyn Ysgol Botwnnog yn Llŷn, i weithio ar y
ffarm – neu, fel yr arferid dweud, i weini. O ganlyniad i
hynny y mae gen i un 'hawl i enwogrwydd': mi fûm yn
gweini hefo Emlyn Lôn!

Rwy'n diolch erbyn heddiw imi weld peth o gyfnod
gweini a byd y gwas ffarm yn Llŷn. Euthum i weini i
Neigwl Uchaf yng nghwmwd Rhosneigwl, lle'r oedd tri
gwas – Dafydd Jones, yr hwsmon, a dau o hogia'r Lôn,
Emlyn a Harri. Roedd cryn wahaniaeth rhwng y ddau
frawd. Byddai Harri yn canu'n barhaus; fe'i clywid o bell
ar ucha'i dôn. Fel hyn y cyfeiriai Emlyn ato bryd hynny:
'Mae'r hogyn Harri yma fel gramaffon, a does neb ond y
fo ŵyr ble mae'r switsh i'w dewi!' Roedd Emlyn, ar y llaw
arall, yn storïwr difyr – doedd yna'r un funud ddi-hwyl yn
ei gwmni. Yn hyn o beth yr oedd yn debyg i'w dad, Evan
Richards. Roedd gan y ddau leisiau clir, treiddgar, a rhyw
ddawn i ddweud stori a disgrifio digwyddiadau o bob
math.

Yr oeddwn yn adnabod Emlyn cyn imi erioed adael yr
ysgol gan y byddwn yn sleifio draw at gongol y Post o bryd
i'w gilydd at yr 'hogia gweini', heb yn wybod i Mam. Yn
rhyfedd iawn, doedd gan y bobol hŷn na'r bobol dipyn
bach yn barchus ddim rhyw olwg ffafriol iawn ar y criw
congol-y-stryd yma. Mi gaem ni'r plant bob croeso gan
Emlyn i aros yn eu plith tra byddai'r lleill yn tueddu i'n
hel ni adra. Rwy'n cofio'n dda fel y cawn gyfla ar feic
Emlyn – beic handi felltigedig, efo 'three speed' arno fo.

Pwy ond y fo fasa'n rhoi benthyg ei feic i ryw flergi fel fi? Dyna'r cof cynta sydd gen i o Emlyn – cofio mor ffeind yr oedd o efo ni'r plant.

Ond pan euthum i weini i Neigwl Uchaf roeddwn wrth fy modd, nid yn unig am fy mod wedi madael â'r ysgol, ond am fy mod yn teimlo'n dipyn o ddyn yn cydweithio efo Dafydd Jones a hogia'r Lôn. Emlyn a Harri oedd y ddau olaf i fyw mewn llofft stabal yn Llŷn, a bu Harri yno am rai blynyddoedd ar ôl Emlyn. Er nad oeddwn i'n cysgu yn y llofft, mi dreuliais oriau lawer yno efo'r ddau frawd ac mi synnwn at fywyd a byw syml y llofft. Doedd yno ddim ond yr angenrheidiau noeth – molchi yn y bwced a thoileda yn rhigol y stabal. Wrth gyrraedd y llofft wedi swper mi fyddai Em yn dechrau comandio: 'Dos i newid y dŵr inni gael molchi, rhen wesyn.' Dro arall, 'Dyro rhyw lyfiad cath o bolish ar fy sgidia, Robs, mae yna gonsart yn 'rhôl Rhoshirwaen heno.'

Yr oedd oes y ceffylau yn dod i ben ac oes y tractor wedi dechrau gwawrio pan euthum i i Neigwl, ond byddai Emlyn byth a hefyd yn sôn am ddyddiau'r wedd ac am ryw ddigwyddiadau rhamantus fel y ceffyl ifanc hwnnw yn rhedeg yn y drol, neu Bell, yr hen gaseg, yn nogio ym Mhwll y Domen. Gan bwyll fe ddaeth ambell beiriant newydd arall ar wahân i'r tractor i ffermydd ym mhen draw Llŷn, hyd yn oed. Byddai Emlyn yn honni hefo mi ei fod yn dipyn o fecanig ar y Ffordan bach; wrth gwrs, dyna un o'r peiriannau symlaf a welwyd erioed! Rwy'n cofio hefyd beiriant ffyrnig yr olwg o'r enw 'llwythwr gwair' ('hay loader'). Credai Emlyn fod y dyn a ddyfeisiodd y fath beiriant yn llawn ei ddial ar bob creadur byw a oedd â chyswllt ag amaethyddiaeth. Ond er mor ddidostur y peiriant, fe lwyddai Emlyn i wneud llwythi sgwarog, da.

Heb os, ffraethineb oedd un o nodweddion amlycaf Emlyn Lôn – chollai o fyth gyfla i weld y doniol a'r digri mewn unrhyw sefyllfa. Pan fyddai hwyliau go dda ar Dafydd Jones, fe gaem ambell stori gan hwnnw o'r dyddiau a fu pan oedd yn gweini yn Neigwl Plas, un o ffermydd mwyaf glannau afon Soch. Sôn y byddai Dafydd am oes y balchder ar ffermydd Llŷn – yn enwedig balchder y certmon. Yn ei falchder, bu i un o'r certmyn hynny blethu cynffonnau'r wedd – dwy gaseg – yn rhy gwta o lawer, gan ddinoethi eu penolau meddal. Wedi bod wrthi'n aredig yn y gwynt dwyrain miniog, sylwodd y certmon fod y wedd yn aflonydd ac yn gyndyn o fynd yn eu blaenau, a chyn hir gwelodd fod eu tinau wedi chwyddo'n annioddefol! Troes Emlyn ataf yn sydyn ac mewn tôn dawel a difri, meddai: 'Wel, Robs, gad yr hen genod sgerti mini 'na, neu mi fyddi ditha fel certmon Neigwl Plas!' Dro arall, a ninnau'n trin gwair (efo picwarch, wrth gwrs), ehedodd ciang o elyrch urddasol heibio, ar eu ffordd am Abersoch. Yr oedd rhyw wich rhyfedd yn eu hadenydd a dynnodd ein sylw. 'Nefoedd wen, be ydi'r sŵn 'na, d'wad?' gofynnais. Ar amrantiad ces atebiad gan Emlyn: 'O, mi ddeuda i wrthat ti, yr adenydd oedd isio rhyw bibiad o oel – arwydd glaw, gei di weld!'

Wedi noswyl, elem am y llofft, a rhyw slap-dash yn nŵr oer y bwced cyn ymgasglu o flaen y llythyrdy. Dyna ichi'r lle difyrra 'y bûm i ynddo erioed'! Biti felltigedig na fuasai rhywun wedi recordio'r ymgomio a'r ymgecru diniwed hwnnw – dawn Llŷn ar ei gorau. Heb os, Emlyn Lôn a Cobden Bodnithoedd oedd y ddau fwyaf cegog o'r criw – dau gomedïwr o'r iawn ryw.

Rhywfodd mi synnodd pawb ohonom o ddeall fod Emlyn am fynd i'r coleg. Un peth oedd disgleirio ymhlith gweision ffermydd Llŷn, peth cwbwl wahanol oedd mentro i blith dysgedigion y colegau. Doedd o'n fath yn y byd o 'sglaig yn yr ysgol, chwaith – digon cyffredin yn ôl y sôn – ond yr oedd gair da iddo fel pregethwr o'r cychwyn. Yr oedd ganddo fantais dda, ddwedwn i, oherwydd roedd o'n adnabod pobol mor dda. Gwyddai i'r dim sut i'n cyrraedd ni ac i ennill ein gwrandawiad. Yn wahanol i lawer pregethwr mae o'n un hawdd gwrando arno, yn hawdd ei ddeall, a daw ei ffraethineb i'r wyneb. Mi faswn i'n dweud, er nad ydw i'n deall rhyw lawer ar bregethu, fod yna lawn cymaint o ddylanwad y llofft stabal a ffraethineb y werin ym Motwnnog ar bregethu Emlyn ag sydd o ddylanwad y colegau y bu ynddynt.

Er iddo adael y ffarm a'r gymdeithas ym Mhen Llŷn a llwyddo'n rhagorol ym myd addysg, y peth da amdano i mi ydi nad ydi o ddim wedi newid. Mae o wedi aros yn fo'i hun, heb ddim pwysigrwydd ar ei gyfyl – mae hynny'n bwysig iawn gan bobol Llŷn. Un gofid sydd gen i yn ei gylch, a hynny ydi fod 'y petha Sir Fôn 'na' wedi'i ddwyn o, a'i gadw fo cyhyd!

HOGIA O LŶN

EDGAR JONES

Un o'r diwrnodiau mwyaf bythgofiadwy yn fy mywyd oedd fy niwrnod cyntaf yn yr ysgol uwchradd (neu'r ysgol ramadeg, fel ag yr oedd hi ar y pryd) – 'Hen Ysgol Hogia Llŷn' ym Motwnnog. Digwyddai'r diwrnod hwnnw fod yn un o'r rhai tywyllaf yn hanes Prydain, gyda lluoedd yr Almaen yn barod i ymosod a'i goresgyn unrhyw funud. Eto, nid oedd hynny'n ddim o'i gymharu â'r ofn a deimlwn i ar fy mhen fy hun yn iard yr ysgol amser chwarae. Er nad oedd Botwnnog ond ychydig filltiroedd o Laniestyn, roedd yn wlad arall i mi. Ond daeth un o'r enw 'Emlyn Lôn' ataf a dweud, 'Wel tyrd yn dy flaen. Mae yna gae yma.' Hogyn y pridd oedd Emlyn, a chredai'n sicr fod stelcian ar dir meddal yn fil gwaith gwell i mi na sefyll ar darmác caled yn crynu fel deilen. Yn fuan iawn, cefais gyngor defnyddiol arall ganddo: 'Dydi fan'ma ddim yn lle inni aros ynddo ddiwrnod yn hwy nag sydd raid inni.' Roedd hynny'n gysur mawr i mi ar y pryd, er na chefais ganu'r 'Ha-haleliwia' am saith mlynedd ac erbyn hynny fu'r un disgybl erioed mor drist wrth ffarwelio â'i ysgol! Ond fel yr addawodd, gadawodd Emlyn y lle y cyfle cynta gafodd, yn bedair ar ddeg oed.

Er bod yr Ail Ryfel Byd ymhell o Lŷn – heblaw am ryw ddwy neu dair o ymosodiadau ar wersyll y llu awyr ym Mhenyberth – roedd pob ysgol yn gorfod paratoi am y gwaethaf. Ofn i awyrennau'r Almaen fomio Ysgol Botwnnog a barodd i'r Awdurdod Addysg yng Nghaernarfon sicrhau bod yno 'air raid shelter'. Oddi mewn i'r ysgol y'i lleolwyd, mewn ystafell storio llyfrau dan un o'r grisiau concrit. Roedd un ffenestr uchel dan nenfwd yr ystafell; rhoddwyd sachau'n llawn tywod dros y gwydrau ac o ganlyniad roedd hi fel bol buwch yno, a ninnau'n ddigon hapus na allai'r 'Jermans' fyth ein gweld ni yn y fagddu. Ni chaniateid canu cloch yr ysgol yn ystod y rhyfel ond pan glywsom ni hi un prynhawn fu rioed y fath ruthro o'r dosbarthiadau. Ofnem ei bod hi'n ddiwedd y byd arnom nes inni sylweddoli mai ymarfer ydoedd. Y diweddar Griffith Hughes Thomas, yr athro Bioleg, oedd yr 'air raid warden', a swniai'n ddramatig iawn mewn swydd o'r fath bwys. Gwaeddai nerth esgyrn ei ben – 'Move along, move along' – fel yr oedd mwy a mwy o ddisgyblion yn cyrraedd yr ystafell. Fel disgyblion y flwyddyn gyntaf, ni oedd y rhai cyntaf yno gan ein bod y drws nesaf iddi. Rwy'n credu y buaswn i wedi mynd yn seitan yn erbyn y mur pellaf oni bai am Emlyn. Roedd yn fachgen cryf a swatiais wrth ei ochr. Yn ystod amser chwarae cawsom ein dau gyfarfod brys, ac Emlyn yn rhoi dau gynnig i mi: y dewis, medda fo, oedd cael fy momio gan Hitler neu fy mygu gan Hughes Thomas. Y dewis cyntaf a orfu, ac ym mhob ymarfer wedyn sleifiais i'r toiledau ac Emlyn wrth fy sawdl.

Er mor ifanc oedd Emlyn, mynnai ei ddawn ei amlygu ei hun yn ystod y ddwy flynedd y bu yn Ysgol Botwnnog. Roedd athro newydd wedi cyrraedd yno, Mr Fred Buckingham, a daeth yn dro iddo ef fod ar ddyletswydd un amser cinio gwlyb pryd y byddai'r holl ysgol yn ymgynnull yn y neuadd. Clywais y diweddar Mr Glyn Owen, yr athro Hanes, yn sibrwd wrtho, 'Gofyn i Emlyn Lôn fynd ar y llwyfan ac mi gadwith o nhw'n ddiddig iti'. Fe wnaeth – ac ar lawer amser cinio gwlyb arall.

Mae'n wyrth bod neb ohonom wedi pasio unrhyw arholiad yn ystod blynyddoedd y rhyfel. Roedd cynhyrchu bwyd i'n boliau yn llawer pwysicach gan yr Awdurdod Addysg na llenwi'n pennau â gwybodaeth. Felly, yn naturiol, roeddem ar ben ein digon pan gaem fynd allan o'r ystafell ddosbarth. Roedd darn o gae wedi ei ychwanegu at ardd yr ysgol, cae o dyndir, ac angen ei balu i blannu tatws ynddo. Deuai gŵr o Laniestyn – Mr Samuel Barrett, garddwr o fri a'r unig Sais yn yr ardal – i'n goruchwylio. Roedd Emlyn a minnau'n gorfod gweithio gartref gyda'r nos, ac roedd hynny'n iawn, ond nid oeddem mor barod i'n lladd ein hunain yn yr ysgol yn 'Palu at Fuddugoliaeth'. I gadw trefn, rhannai Mr Barrett ni'n grwpiau ond ni allai ef mwy nag unrhyw athro arall gadw llygad ar bob grŵp yr holl amser. Gofalwn fy mod yn sefyll wrth ymyl Emlyn pan rannai Mr Barrett y dosbarth ac, o ganlyniad, byddem ein dau'n cydweithio yn yr un llecyn. Roedd yna wrychoedd bytholwyrdd yn rhannu'r ardd, rhai digon trwchus inni guddio ynddynt. Pan welem Mr Barrett yn dod symudem yn llechwraidd trwy wrych i fan arall a dychwelyd wedi iddo adael. Dysgasom yn fuan hefyd i ofalu bod gennym raw bob un ar ddiwedd y prynhawn ac, yn bwysicach fyth, i edrych yn lluddedig. Haeddem y gymeradwyaeth a gaem gan Mr Barrett, petai ond am ein cyfrwystra.

Collasom bob cysylltiad â'n gilydd am flynyddoedd lawer wedyn, a bu'n rhaid i mi fynd i Ynys Môn i'w gyfarfod drachefn – ef erbyn hynny'n weinidog Cemais a minnau'n berson Bodedern. Cyngor Mr Barrett i Emlyn ym Motwnnog un tro oedd hyn: 'You will never leave the land boy; try and learn something about it.' *Wnaeth* Emlyn ddim gadael y tir, a phan oeddwn i'n ddiweddarach yn athro yn Ysgol Gynradd Cemais, gwelwn ef yn aml yn bugeilio'i ddefaid – defaid go iawn, nid ei aelodau. Byddwn yn eiddigeddus na chawn ruthro o'r dosbarth i ymuno ag ef! Deuai Emlyn i'r ysgol i'm cynorthwyo ar adegau, yn enwedig felly pan fyddwn wedi ysgrifennu pantomeim gogyfer â dathliadau'r Nadolig. Roedd ei ferch, Ruth, yn fy nosbarth pan gyrhaeddais i Gemais, a buan y sylweddolais ei bod wedi etifeddu doniau ei thad. Ar achlysuron fel hyn hefyd nid oedd neb tebyg i'w wraig,

Dora, fel 'meistres y gwisgoedd'. Ond mewn dramâu a ysgrifennais ar gyfer Cwmni Mechell y cyrhaeddai Emlyn ei uchelfannau, ac yntau'n aelod selog o'r cwmni. Byddwn hefyd yn ysgrifennu anterliwtiau i Wyliau Mabsant y fro. Mae lle i fod yn fyrfyfyr mewn anterliwt, ond nid *drwyddi*! Dywedwn yn aml y gallasai'r cwmni berfformio yr un anterliwt bob nos am wythnos, gyda'r un gynulleidfa yn gwylio, heb iddynt sylweddoli mai'r un anterliwt oedd hi. Fwy nag unwaith y gwelais Emlyn ar wastad ei gefn ar y gert yn dal i 'borthi', a mwy nag unwaith rhywun yn dweud wrtho am ddistewi gan ei fod wedi cael ei saethu bum munud ynghynt! Mawr oedd amynedd Audrey Mechell, y cynhyrchydd. Ond does dim angen dweud pwy a gâi'r gymeradwyaeth fwyaf wedi pob perfformiad.

Un o'r rhai sydd heb newid dim yw Emlyn. Hogyn gwerin Llŷn ydyw o hyd. Clywais ddweud ryw dro am y bardd, R. S. Thomas, nad oedd o'n rhy hoff o bobl, ond all Emlyn ddim byw hebddynt. Mae'n dal mor weithgar ag erioed a fedr o ddim dweud 'Na' wrth unrhyw fudiad nac unigolyn sy'n gofyn am gymwynas ganddo. Canlyniad hyn, yn enwedig gyda mudiadau sydd eisiau iddo fynd â hwy am drip, yw beth mae ef yn ei alw, gyda gwên ar ei wyneb, yn 'double booking'. Mewn argyfwng o'r fath gwna i minnau deimlo fod yna bwrpas o hyd i'm bywyd – yn wir, mae'r ddawn ganddo i wneud i mi deimlo'n ddiolchgar am y therapi a gaf o ganlyniad i'w flerwch o! Un tro, ymysg llawer, addawodd fynd â llond bws o bobl Cemais a llond bws o bobl y Fali am 'bererin-drip' i Lŷn, a hynny ar yr un diwrnod. Yr achlysur oedd dathlu canmlwyddiant geni Cynan. Cefais fy hun ar fws y Fali. Roeddwn wedi rhybuddio'r teithwyr i beidio â chymysgu'n ormodol â phobl Cemais, ond yn Aberdaron doedd dim dewis ganddynt! Yn y Gegin Fawr, ac Emlyn a minnau'n mwynhau paned o de, tynnodd o'i boced gopi o *Cerddi Cynan* a gofyn i mi, 'Ydan ni wedi pasio Llanfihangel Bachellaeth, dŵad?' Eglurais ein bod.

'Finnau wedi cario hwn yr holl ffordd o Sir Fôn,' meddai, gan roi'r llyfr yn ôl yn ei boced. Gwyddwn mai ei fwriad oedd darllen cerdd enwog Cynan wrth basio Llanfihangel. Daeth y Diafol yn agos iawn ataf, er gwaethaf agosrwydd seintiau Enlli, ac eglurais y gallai ei bererinion weld eglwys Penllech yn y pellter ar eu ffordd i Nefyn. Felly, ar noswaith braf o haf, bu'n rhaid i'r Forwyn Fair – tra oedd bws Cemais yn gwibio heibio – ildio ei heglwys am ychydig funudau i'r Archangel Mihangel. Gwyddwn innau'n iawn y buasai diadell Cemais wedi coelio'u bugail petai wedi dweud wrthynt mai eglwys Sant Paul oedd hi.

Drwy'r cyfan, gweinidog yr Efengyl yw Emlyn. Ŵyr neb hynny'n well na mi. Mae gen i eglwys fechan i mi fy hun, eglwys hanesyddol Llanfigael, a phob haf cynhaliaf wasanaeth yno. Wrth wrando ar Emlyn yn ei phulpud, teimlaf innau fod yr 'Haleliwia yn fy enaid i'. Breuddwyd-iais unwaith, a mudiad ar dro i wireddu Eglwys Unedig Cymru, mai Emlyn fuasai esgob cyntaf Môn – a minnau efallai'n ganon iddo...

Mae Llanfigael yn eglwys heb label arni a dyna'r fan y dymunwn fynd iddi pan ddaw'r alwad. Pwy ŵyr nad yno ryw ddydd, mewn cornel fach o'r fynwent ar lan yr Alaw, y bydd dau alltud o Lŷn yn gorwedd, yn rhan o ddaear Môn i dragwyddoldeb!

Y Ddau Fugail

Morgan Evans

Y mae fy nghyswllt ag Emlyn a'i deulu yn mynd yn ôl well na thrigain mlynedd, i ddechrau pedwardegau'r ganrif ddiwethaf. Yr oeddwn yn glerc ieuanc i Bob Parry, yr Arwerthwr – y dyn a roes enw i'r cwmni hwnnw – ac yr oedd mart Sarn Mellteyrn yn un o'm hoff atyniadau. Yno, yng nghanol gwlad Llŷn, y deuthum i adnabod cymeriadau nodedig yr ardal, ac yn eu plith y mwyaf ffraeth a'r difyrraf ohonynt, Evan Richards, neu yn ôl pobol y wlad honno, Evan Lôn. Byddai Emlyn, ei fab, efo fo yn ystod gwyliau ysgol, yn llefnyn oddeutu deg oed. Er bod yn y Lôn wyth o blant, Emlyn a gâi ddod i'r sêl am ei fod yn gyfaill i Robat, mab Bob Parry, felly roedd gan Evan ofal o ddau blentyn. Rwy'n cofio'n dda gweld Emlyn a'i dad yn cychwyn o'r sêl yn cerdded buwch a llo ddwy filltir o daith i'r Lôn – tyddyn yng ngodre mynydd y Rhiw. Oes y cerdded i bobman oedd honno.

Ychydig feddyliais y byddwn yn cyfarfod â'r hogyn hwnnw a welais yn llaw ei dad yn sêl y Sarn ymhen blynyddoedd wedyn, a'r tro yma yn Sir Fôn. Yr oeddwn newydd agor arwerthiant anifeiliaid yn y Gaerwen ac ar derfyn un o'r seli cyntaf un cyflwynwyd fi i ddyn ifanc a alwodd yn rhyw fath o swyddfa a oedd gennyf. 'Gweinidog Cemais wedi galw i'ch gweld ac i ddymuno'n dda ichi,' meddai un o'r dynion. *Gweinidog*, meddyliais, gan estyn llaw i'w gyfarch a'i groesawu. 'Hogyn Evan Lôn ydw i,' meddai. Cofiais – pwy allai anghofio! Roeddwn mor falch, ac o'r foment honno tyfodd cyfeillgarwch rhyngom trwy'r blynyddoedd.

Y mae Emlyn yn ymwelydd cyson â'r mart yn y Gaerwen a chaf innau gyfle i sylwi ar y tebygrwydd rhyngddo a'i dad – yr un ffraethineb a'r un agosatrwydd. Mewn dim o dro yr oedd yn adnabod pob ffarmwr a thyddynnwr a ddeuai i'r sêl, o Fôn ac o Lŷn. I ddieithryn, ffarmwr arall fyddai Emlyn: gwisgai fel ffarmwr, siaradai yr un fath â ffarmwr ac fe smociai'r un baco â'r ffarmwrs. Doedd dim o'i gwmpas yn awgrymu mai gweinidog oedd o, a thybed nad oedd hynny'n rhinwedd ynddo? Ac eto i'r neb a'i hadwaenai yr oedd ynddo nodweddion gorau gweinidog. Yn eitha siŵr nid amcanodd Emlyn i fod yn neb ond ef ei hun. Ei atyniad dewisol ar ei 'ddiwrnod i'r brenin' fyddai treulio pnawn yn y sêl yn y Gaerwen gan fachu ar bob cyfle i gael sgwrs efo cynifer ag a allai o'r ffermwyr. Yno y byddai yn sŵn ac aroglau'r anifeiliaid a'r bobol.

Wedi iddo setlo i lawr yng Nghemais ac yng Nghwrdd Misol Môn, bu iddo rentu tir i gadw defaid ac ychydig o wartheg. Dyma arwydd go dda y byddai'n debygol o ddaearu a gwreiddio yma ym Môn: wedi'r cwbwl, fedrai o fyth symud y tir fel y gallai symud ei lyfrau. Bellach, daeth yn ymwelydd mwy cyson â'r sêl, i brynu neu i werthu, ac yn naturiol fe ddaeth yn nes fyth at y bobol a hwythau yn nes ato ef. Golygfa i'w chofio fyddai honno o Emlyn yn cyrraedd iard y sêl yn ei ''Lefn-hyndryd' gwyn oedrannus a threlar bach simsan ar ddwy olwyn moto beic wrth ei gwt. Duw yn unig a ŵyr sut y llwyddai i gael cynifer o ŵyn i le mor gyfyng! Ceid cryn drôma pan fyddai Emlyn yn bystachu bagio'r trelar i geg gyfyng un o'r corlannau alwminiwm, a'r car gwyn a'r trelar yn sisyrnu ar draws ei gilydd. I wneud pethau'n waeth, mi fyddai rhyw dyddynnwr cegog yn cynnig sbectol i'r gyrrwr ac un arall yn cynnig cario'r trelar bach i'w le. Ond byddai gan y gweinidog, fel ei dad gynt, ateb byr a bachog a roddai gaead ar eu piser.

Yr amser hynny câi'r ŵyn tew eu graddoli gan swyddog

o'r Weinyddiaeth a byddai cryn helynt a galw yng nghwt y glorian, a William Edwards, y gradar druan, yn cael ei alw'n bob enw dan haul am wrthod ambell oen i ffarmwr balch. Yn wir, mi fyddai ambell un go feiddgar yn bygwth y creadur druan. Fe ddiolchodd Wil Edwards sawl tro am bresenoldeb tawel gweinidog Cemais i ddofi tipyn ar ambell loerigyn. Dro arall byddai prisiau'r ŵyn wedi syrthio a fawr o alw amdanynt, a cheid cryn wrthdaro rhwng ffarmwr ac ocsiwnîar. Safai'r perchennog ynghanol ei braidd yn y gorlan yn bytheirio am y pris isel a'r ocsiwnîar druan wedi codi ei forthwyl yn barod i daro. Fyddai gan Emlyn ddim dewis bryd hynny ond cymryd plaid y ffarmwr a'r tyddynnwr gan ei fod yn un ohonynt. Ond er y cecru a'r bygwth mi fyddai Emlyn yn enjoio'i hun yn eu canol ac fel hyn, o gam i gam, fe'i derbynnid yn aelod cyflawn o urdd y 'Cae Sêl', gan y gwyddai i'r dim sut i drin a thrafod pobol heb eu tramgwyddo.

Rwy'n cofio'n dda iddo alw i'm gweld gyda chais y tybiwn oedd braidd yn anghyffredin. 'Rwyf wedi sgwennu llyfr ar borthmyn Môn,' meddai, 'a meddwl yr oeddwn i y byddai'n syniad da i'w lansio yn y stafell gwerthu dodrefn yn y mart yma.' Methwn yn lân â gweld fod y lle yn addas i'r fath bwrpas. Lansio llyfr! Wedi'r cwbwl nid ffarmwrs a fyddai'r prynwyr y tro yma – am wn i? 'Wel, Emlyn bach,' meddwn yn betrus, 'onid mewn hotel grand y byddan nhw'n lansio llyfrau, efo tamaid o gaws a llymaid o win? Mi fydd y mart yn llawn aroglau gwartheg a defaid.' 'Wel dyna fo i'r dim,' meddai ar fy nhraws, 'llyfr ar borthmyn fydd hwn, Morgan, ac mi fydda i wedi gwahodd pob ffarmwr o Fôn i Lŷn i brynu'r llyfr, ac mi ddo'n, gewch chi weld!' 'Wel, dyna chi, ta. Trefnwch efo Simon i baratoi'r rŵm,' meddwn inna, yn reit amheus o'r fenter.

Daeth y noson fawr ar 7 Medi 1998. Welwyd y fath bobol erioed, a'r rheini, gan mwyaf, yn ffermwyr. Wrth gwrs, nid dyn diarth oedd yr awdur yma ond un ohonynt hwy, ac roedd testun y llyfr yn apelio at bob ffarmwr o Fôn i Fynwy. Yr oedd ffermwyr Llŷn yn hen gynefin â dod i sêl y Gaerwen, felly pam lai cefnogi Emlyn Lôn a'i lyfr? Bu'r gwerthiant yn rhyfeddol. Yr oedd yr awdur a'i lyfr a lleoliad y lansio yn apelio at brynwyr gwahanol i'r arfer. Nid disgyblion y caws a'r gwin oedd y rhain!

Wel, dyna fo – yr hogyn a welais yn llaw ei dad ym mart y Sarn amser maith yn ôl wedi treulio yn agos i hanner canrif ym Môn ac yn un o'i phregethwyr enwoca, a mart Smithfield y Gaerwen yn rhan bwysig o faes ei genhadaeth dawel.

EMLYN Y PREGETHWR

HARRI PARRI

Yn achos Emlyn, bydd y bregeth yn dechrau y tu allan i'r adeilad. Yn arbennig felly os bydd o yn ei gynefin, ac erbyn hyn mae hwnnw'n un llydan iawn. 'Wel, yr aur! Falch o dy weld ti, cofia,' – a chaiff gusan. 'John, achan!' a'r llais yn codi wythfed, 'Deud i mi, 'ti 'di gwerthu'r bustych rheini?' A dyna ddau mewn tiwn ar gyfer yr addoliad sydd i ddilyn. Oherwydd nid pregethwr sa-draw mo Emlyn, o ran ei wisg na'i sŵn, nac o ran ei gar o ran hynny (wel, yn y dyddiau cynnar, o leia!) – nid Myrc pwerus na Jag moethus fyddai'n clertian wrth y pyrth, ond hen siandri wedi gweld dyddiau gwell.

Bydd yr oedfa'n fath o delyneg: y darlleniad yn naturiol, y weddi'n un ymgomiol a'r bregeth yn uchafbwynt i'r addoli. Mae yna gywair addoli yn ei ddull o ledio'r emynau. Caiff y sawl fydd yn cyhoeddi mewn oedfa ei borthi'n gynnes ganddo, 'Wel, ia! . . . *Da!*' Mi rydw i'n ddigon hen i gofio'r sôn ym mhen draw Llŷn, yn y pumdegau, fod 'Emlyn Lôn yn mynd yn bregethwr'. Ac fe *aeth* Emlyn yn bregethwr, yn bregethwr o flaen pob dim arall.

Genedigaeth-fraint Emlyn ydi gwreiddioldeb. Fe ddisgrifiodd Daniel Owen un o bregethwyr ei gyfnod – Ifan Dafis, Cilcain – fel 'y tebycaf iddo'i hun a fu yn y pwlpud hwn ers blynyddoedd'. Roedd hwnnw'n hunandebyg am na chafodd addysg i bylu'i naturioldeb. Manteisiodd Emlyn ar addysg coleg dros gyfnod maith, a dal i fod yn gwbl debyg iddo fo'i hun. Wrth gwrs, fe all gymryd arno fod pethau'n wahanol: 'Ro'n i ofn yn 'y nghalon i'r pregethwr oedd yn pregethu o 'mlaen i ddwyn 'y nhipyn pregath i. Prygethwrs, dyna i chi'r lladron mwya gewch chi!' Cyn belled ag y mae Emlyn yn y cwestiwn, amhosibl.

Yna, ei afael o ar eiriau. Ar lafar, fel mewn print, mae'n rhaid wrth ddawn i beri i eiriau gerdded a gweithio. Yn ein plith ni, drueiniaid, Emlyn ydi'r miliwnydd am wn i. Un rheswm am hynny ydi'i gynefindra mawr o â'r Beibl Cymraeg. Ond yr hyn sy'n rhoi sbarc i'r cyfan ydi'r iaith lafar y trochwyd o ynddi ar Benrhyn Llŷn. Ac eto, fel y bardd, gall yntau beri i air cyffredin weithio. Y gair 'hen', er enghraifft: 'Mi fydda Nain, yr hen gryduras...', i gyfleu anwyldeb; 'Ma'r hen wlad 'ma wedi mynd i'w chrogi', i gyfleu beirniadaeth; ''Rhen gar 'cw sgin i', i ennyn hiwmor.

Fel artist yn ei bulpud fe ŵyr i drwch y blewyn pryd i agor ffenest, oherwydd gall pregeth ddi-ffenestri droi'n garchar. Tynnu lluniau y bydd o bryd hynny. Tynnodd sawl llun cofiadwy o ddyddiau'i blentyndod. 'Mi fydda Mam ynghanol twrw pob un ohonon ni ar yr aelwyd. Chlywis i ddim mwy o dwrw ar aelwyd erioed. Ac mi goda Mam mwya sydyn o'n canol ni ac mi âi. Roedd hi wedi'i glywad o'n crïo, ylwch . . . [brawd bach Emlyn]. "Gwrandewir pob amddifad gri yn union ganddo Ef".' A'r dyfyniadau wedyn. Y rheini, hwyrach, yn fwy na dim, sy'n dangos ei ysgolheictod a chyfoesedd ei ddarllen: 'Dyna i chi John Pilger yn y *Times* ddoe . . .'

Un o'i gryfderau fu dyfalbarhau i loywi'r trysor a gafodd. Hyder y crefftwr sy'n peri bod tempo bwriadol i'r traddodi. Tuedd pregethwr fel fi ydi berwi'n sych cyn bod yna ddigon – ond nid Emlyn. Bob hyn a hyn ceir adegau llac a chyfle i flewyn o hiwmor frigo i'r wyneb. O'r herwydd, gall roi'r ergyd heb glwyfo. 'Pan oedd John Elias wedi tynnu'r stops i gyd allan ac yn hongian ei gynulleidfaoedd uwchben uffarn...'; 'Ma'r Hen Gorff wedi ca'l clamp o air mawr anghelfydd – strategaeth'!

Ond be am siâp ei bregeth? I bregethu, rhaid cael pwnc neu destun. Yn amlach na pheidio bydd wedi cael gafael ar gymal cofiadwy o'r Ysgrythurau: 'Tri gair yn unig, yn y nawfed adnod a deugain, yn y ddegfed bennod o Efengyl Marc, fydd ein testun ni am ychydig – "Cod dy galon". Dau air sydd 'na yn y cyfieithiad Saesneg gorau – "Cheer up".' Bydd yr adnod yr angorodd ei hun wrthi yn pupro'i neges gydol y bregeth. Rywbryd ar y daith bydd yn gosod yr adnod yn ei chyd-destun Beiblaidd, a'i sylwadau, eto, yn profi'i gynefindra â'r Gair a'i addysg ddiwinyddol. Cyn y diwedd bydd yn rhaid cael tri phen a'r rheini'n clecian. 'Thraddodis i rioed bregath nad oedd iddi dri phen. Mae isio i bob pregethwr neud. Haws cofio o lawar.' Wel, os oedd y Trioedd Cerdd yn rhan o grefft yr hen feirdd, pam ddim?

Hwyrach mai amcan pennaf Emlyn wrth bregethu, erbyn hyn, ydi 'eiriol dros y gwan'. Dyna'r argyhoeddiad sy'n angerddoli'i neges. 'Mi fydda Nain, yr hen gryduras, yn deud ar ôl talu'r rhent i stad Cefnamwlch, "Dyna fi'n saff am flwyddyn arall".' Yna, y llais yn dyrchafu a'r angerdd yn llifo, 'Mae yna bobol nad oes ganddyn nhw sicrwydd y bydd ganddyn nhw gartra'r mis nesa . . . Hen oes lle ma'r mawr yn llwyddo a'r bach yn ca'l ei anwybyddu.' Serch yr hamddena'i ffordd trwy'i bregeth a gofalu bod ambell foment lac i bobl chwerthin eu tyndra, bydd y neges yn un heriol – nid yn unig yn anesmwytho'r pregethwr ei hun ond yn debyg o ddwysbigo rhai a oedd yn mwynhau'r gwrando. Bu Emlyn yn bregethwr dewr ryfeddol. Craidd ei neges ydi:

> Mae'r byd o hyd yn barod i gymryd Gwaredwr,
> A fuo fo 'rioed yn aeddfetach na'r ennyd hon.
>
> *Hen Stori* – T. Glynne Davies.

Ar y sgrin, fe fûm i'n gwylio'i oedfa olaf o bulpud Bethesda, Cemais. Crefftwr i'r diwedd. Emosiwn dan reolaeth; atgofus, wrth gwrs; neges gignoeth o gyfoes, a'r argyhoeddiad a'i denodd o 'weini ffarmwrs' i bregethu'r Gair yn dal yr un mor gadarn. Ei air olaf i bobl Bethesda oedd: 'Iesu, nid oes terfyn arnat. *Mynnwch* ga'l gweinidog arall i ddeud hwnna.' A hwnna, hyd y gwela i, sy'n weindio Emlyn.

EMLYN YR HEDDYCHWR

JUDITH HUMPHREYS A JERRY HUNTER

> Yr oedd yn syndod meddwl bod gan ryw gongl fechan
> ddiarffordd fel hyn o Gymru ran yn y Rhyfel o gwbl. Ac
> eto, cyrhaeddai crafangau'r anghenfil hwnnw i gilfachau
> eithaf y mynyddoedd.

Dyna Kate Roberts – yn *Traed Mewn Cyffion* – yn trafod
effaith y Rhyfel Byd Cyntaf ar Arfon, ond y mae'r geiriau
hyn hefyd yn disgrifio i'r dim y modd y bu i Emlyn
Richards ganfod gafael yr Ail Ryfel Byd ar fro ei febyd yn
Llŷn. Dywed Emlyn, wrth iddo edrych yn ôl ar ei fywyd
ei hun, fod y rhyfeloedd y mae wedi bod yn dyst iddynt
wedi strwythuro holl gyfnodau ei hanes personol. Gyda'r
bygythiad y byddai'n rhaid i'w dad fynd i'r fyddin,
gorfodwyd ef i sylweddoli'n gynnar iawn yn ei fywyd fod
crafangau'r anghenfil rhyfel yn gallu cyrraedd hyd yn oed
eu haelwyd hwy ger Botwnnog – profiad a effeithiodd yn
ddwys iawn ar yr Emlyn ifanc.

Teimla Emlyn fod ei Gristnogaeth a'i heddychiaeth yn
un. Pan oedd yn ei arddegau roedd yn gwerthfawrogi'r
cyfle i drafod, cwestiynu a dadlau a ddeuai i'w ran yn
gyson yn yr Ysgol Sul, ac yn fuan daeth i gredu 'fod yna
ryw ateb yn athrawiaeth ganolog Cristnogaeth' i drais ac
anghyfiawnder y byd. 'Tywysog tangnefedd' fu Crist iddo
ers y dyddiau cynnar hynny, a chan fod 'Iesu o Nasareth
yn dipyn o rebel hefyd', credai y dylai yntau ymroi i
brotestio yn erbyn rhyfel a gormes. Yr argyhoeddiad hwn
a fyddai'n ei arwain at y weinidogaeth ar ôl cyfnod yn was
ffarm. Ar ddiwedd ei gyrsiau yn y tri choleg, roedd y
plentyn a ofnai y byddai'n colli'i dad i anghenfil rhyfel

bellach yn ddarpar weinidog a oedd yn poeni'n gynyddol am yr arfau niwclear a wnâi'r anghenfil hwnnw'n fygythiad hyd yn oed yn fwy ysgeler.

Ffurfiwyd CND yn 1958 ac ymunodd Emlyn a Dora â'r mudiad newydd y flwyddyn honno tra oeddynt ar eu mis mêl. Mae Emlyn wedi bod yn ymgyrchu'n selog yn erbyn y bygythiad niwclear ers hynny, gan ofalu am ei gangen leol (Cemais/Llanfechell) am gyfnod maith, a hefyd lywyddu CND Sir Fôn am ddwy flynedd.

Gyda Rhyfel Vietnam yn ffrwydro yn y 1960au – ac Emlyn newydd gychwyn ar ei weinidogaeth hir yn ardal Cemais – daeth gwedd newydd ar yr hen anghenfil treisgar hwnnw i helpu diffinio'r cyfnod newydd hwn ym mywyd Emlyn Richards. Dywed mai yn ystod y blynyddoedd anodd hynny y daeth yn ymwybodol o faintioli'r celwyddau yr oedd gwleidyddion yn fodlon eu dweud er mwyn cyfiawnhau rhyfel, ac yn ôl Emlyn roedd ei heddychiaeth yn 'dyfnhau yn fawr iawn, iawn' yn ystod y chwedegau. Ymroes i brotestio'n fwyfwy wrth i'r bomiau ddisgyn ar bentrefi Vietnam. Gan fod sefyll dros heddwch a chyfiawnder yn ganolog i'w genhadaeth bersonol fel Cristion a dyngarwr, roedd Emlyn yn crybwyll y rhyfel a phledio heddychiaeth yn ei bregethau yn aml. Dyna un o'r cwestiynau caled a'i hwynebai yn ystod ei weinidogaeth: roedd gofalu am ei braidd a thynnu'r gymuned Gristnogol yr oedd yn ei bugeilio ynghyd o'r pwys mwyaf iddo, ond eto ni allai ymatal rhag gwneud yr hyn a welai'n ddyletswydd Gristnogol a dweud ei farn yn gyhoeddus am erchyllterau rhyfel a gorffwylledd y drefn wleidyddol a oedd yn ei gynnal. Cyhuddai rhai ef o 'bregethu *politics* o'r pulpud' yn ystod y cyfnod hwnnw, ac roedd y sefyllfa'n gofyn am hunanholi parhaus, ond ni allai gweinidog Cemais wneud dim ond gweithredu'n unol â'i gydwybod ei hun. Dangoswyd cefnogaeth frwd iddo'n aml hefyd. Cofia Emlyn hyd heddiw brofiad a gafodd ar ôl iddo draddodi un o'i bregethau gwrth-ryfel cyntaf: daeth dyn oedrannus a eisteddai yng nghefn y capel ato ar ddiwedd y bregeth (un a oedd fel arfer yn dawedog iawn) gan gydio yn ei law ac ochneidio, 'O'r diwedd – dyma'r rial stwff!'

Nid protestio yn erbyn rhyfeloedd pell yn unig yr oedd – ac y mae – Emlyn, ond hefyd ymgyrchu er mwyn codi ymwybyddiaeth ynglŷn â'r berthynas rhwng grymoedd rhyfel a bywydau beunyddiol pobl ym Mhrydain, yng Nghymru ac yn Sir Fôn. Gan feddwl yn rhyngwladol a gweithredu'n lleol, mae wedi rhoi llawer o sylw dros y blynyddoedd i atomfa'r Wylfa nid nepell o'i gartref ei hun. Oherwydd y cysylltiad agos rhwng pwerdai niwclear a'r diwydiant arfau niwclear nid oedd ei gydwybod yn gadael iddo *beidio* â gwneud hyn, er bod ei safiad wedi dod ag ef wyneb yn wyneb ag un o'r cwestiynau caled hynny unwaith eto, gan fod yr Wylfa hefyd yn cynnig gwaith i lawer o bobl yn yr ardal. Yn yr un modd, bu hefyd yn cynnal aml i brotest y tu allan i'r maes awyr yn y Fali gan fod awyrlu Prydain yn defnyddio'r safle hwnnw er mwyn darparu i luoedd awyr Indonesia y sgiliau a'r gallu i ollwng bomiau ar sifiliaid diymgeledd yn East Timor. Yn debyg i'r Wylfa, dadleuai rhai fod maes awyr y Fali'n cyfrannu at economi'r Ynys. Wrth gwrs, roedd materion economaidd lleol fel hyn yn agos at galon Emlyn hefyd. Yn wahanol o bosibl i'r rhan fwyaf o weinidogion, arhosodd yn yr un ofalaeth am dros ddeng mlynedd ar hugain gan fwrw gwreiddiau dwfn iawn yng Nghemais a'r cyffiniau. Mae ei wasanaeth fel Ynad Heddwch a'i waith yn hybu amaethyddiaeth yn Sir Fôn yn tystio i'r ffaith ei fod wedi ymroi i helpu'r gymuned ehaganach hon yn ogystal â'i braidd. Er ei fod yn poeni'n ddirfawr am ddiffyg swyddi ar yr Ynys, ni allai ymatal rhag gwneud yr hyn a welai'n rheidrwydd moesol.

Tra bod ei argyhoeddiad personol wedi'i gadw ar lwybr heddychiaeth, mae doniau personol Emlyn wedi bod yn fodd iddo yrru'r ymgyrch yn ei blaen. Mae'r sgiliau cyfathrebu sy'n ei wneud yn bregethwr mor rymus hefyd at ei wasanaeth pan fo'n traddodi araith wleidyddol. Mae awduron hyn o lith ymysg y lliaws sydd wedi bod yn dystion i'r modd y mae Emlyn yn gallu hoelio sylw torf – er enghraifft, ar ddiwrnod rhewllyd y tu allan i giatiau'r Fali, ac yntau'n codi ei lais soniarus uwchben twrw'r awyrennau a gyrru neges at y galon y byddai'r gwrandawyr yn ei chofio ymhell ar ôl diwrnod y brotest ei hun.

Ac yntau'n awdur nifer sylweddol o lyfrau erbyn hyn, mae hefyd wedi hen arfer â thrin geiriau ar bapur ac mae wedi cyhoeddi rhai cannoedd o lythyrau yn hybu heddwch a chyfiawnder dros y blynyddoedd – hynny mewn papurau lleol, cenedlaethol a Phrydeinig. Dengys ei lythyrau lu fod Emlyn yn sylwebydd gwleidyddol craff ac yn feddyliwr sy'n gallu trafod datblygiadau byd-eang yn ddeallus a'u dadansoddi mewn ffordd sy'n berthnasol i fywydau pawb ohonom. Nid yw gwrthwynebu rhyfel a'r diwydiant arfau yn safiad ynysig iddo; mae wastad yn cysylltu achos heddwch â chwestiynau eraill yn ymwneud â chyflwr ein gwlad a'n byd. Mewn llythyr ar ôl llythyr gofynna i'w ddarllenwyr ystyried methiant y gwleidyddion i roi stop ar 'ffwlbri noeth' y gwariant ar arfau, gan bwysleisio hefyd y gellid ailgyfeirio'r adnoddau anhygoel sy'n cael eu gwastraffu yn y modd hwn er mwyn lleddfu tlodi a chyni cymdeithasol ar draws y byd.

Er i Emlyn dreulio cyfran helaeth o'i egni sylweddol yn ymgyrchu yn erbyn y gwallgofrwydd diball hwn dros y blynyddoedd, nid yw wedi colli'i ffydd yn ei gyd-ddyn. Dywed fod y brotest fawr yn erbyn rhyfel Irac a gynhaliwyd yn Llundain ar 15 Chwefror 2003 yn 'binacl' ei holl ymgyrchoedd, a'i bod hi'n 'braf teimlo bod rhywun wedi cael byw i weld diwrnod felly'. Dywed fod gweld dros filiwn o bobl yn tystiolaethu yn erbyn rhyfel 'yn wefr' sy'n dal i'w gynnal hyd heddiw, ac ychwanega ei fod yn sicrach ei argyhoeddiadau heddiw nag a fu erioed.

Yn ôl maniffesto'r mudiad y mae Emlyn wedi'i

gefnogi'n selog ers cyhyd, nod CND Cymru yw 'gweithio dros heddwch a diarfogi rhyngwladol, a byd lle mae'r adnoddau anferth a ddefnyddir ar hyn o bryd i ddibenion milwrol wedi eu hailgyfeirio i ateb gwir anghenion y ddynolryw'. Ni ellid cael disgrifiad gwell o waith mawr Emlyn yr Heddychwr.

EMLYN YR AWDUR

CEN WILLIAMS

Pwy ddywedodd, deudwch, mai 'dawn a diwydrwydd y jac-do' yw dawn yr hanesydd? Efallai bod hynny'n wir am ambell hanesydd, ond yn bendant dydi o ddim yn wir am Emlyn Richards. Mae o'n *gallu* bod cystal jac-do â'r un ohonyn nhw, cofiwch, a hynny yn yr ystyr orau. Mae o'n ymchwilydd manwl a gofalus, yn dethol a didol cyn cario i'w nyth, ac mae o'n gallu trin a thrafod ffeithiau cystal ag unrhyw hanesydd. Mae'r ddawn honno i'w gweld ar ei gorau yn nwy bennod gyntaf *Porthmyn Môn*, pennod gyntaf *Pregethwrs Môn* a phenodau 1, 3 a 4 *Potsiars Môn*. (Gyda llaw, gan fod y gair 'Môn' yn gynffon i'r tri theitl uchod – yn ogystal ag i *Cymeriadau Ynys Môn* – byddai'n syniad imi gyfeirio at y pedair cyfrol yna o hyn allan fel y 'Porthmyn', y 'Pregethwrs', y 'Potsiars' a'r 'Cymeriadau'!)

Cario i'w nyth ac anghofio a wna'r jac-do ond unwaith y mae Emlyn wedi cael gafael ar faes ac ar ffaith, mae'n eu gwisgo â gwisg amryliw ddeniadol, plu o bob lliw, sy'n dangos ei allu i dreiddio i'w faes ac ymgolli ynddo. A dyma i chi fwy o'r plu lliwgar – ei ddiddordeb mewn pobol, y gallu i adnabod a pharchu ei gynulleidfa, a chlust ardderchog am stori dda. Y mwd, y poer, y mwsog neu'r gwlân sy'n cloi'r cyfan yn ei gilydd fel y gwnânt yn nythod adar mwy crefftus na'r jac-do yw'r Gymraeg sydd ganddo – Cymraeg llafar-llenyddol coeth sy'n dangos llawer iawn o ôl a dylanwad y pulpud.

Ei ddiddordeb mewn pobol sy'n gyfrifol am y gyfrol gyntaf sy'n dwyn ei enw, sef *Yr Ardal Wyllt*, a'r gyfrol olaf (hyd yma), y 'Cymeriadau'. Ond dyma hefyd sy'n gyfrifol am *Rolant o Fôn, Bywyd Gŵr Bonheddig*, y 'Potsiars' a'r 'Pregethwrs', a gellid dadlau mai rhannau gorau'r ddwy olaf yw'r rhannau lle mae'n adrodd straeon am bobl. Mae eu hanes yn ddifyr ond mae cael hanesion amdanynt yn cynyddu'r apêl i'r darllenydd, a gŵyr Emlyn hynny. Ar ôl hanes Hugh Owen fel arwerthwr yn y 'Potsiars', mae'n troi ati i ddweud hanesyn amdano, ar ôl arwerthiant da, yn mynd ar ei liniau ar noson waith yng nghapel Nyth Clyd, Talwrn, ac yn methu ag anghofio'r arwerthiant hyd yn oed o flaen gorsedd gras:

> Maddau i mi Arglwydd fod yn hwyr yn cyrraedd yma heno – fedrwn i ddim dŵad ddim cynt, er i mi redeg. Mi roedd hi'n sêl fawr, Arglwydd – ac yn sêl dda iawn. Mi roedd yno gaseg las werth ei gweld, welais i mo'i thebyg, ac mi rydw i wedi gweld llawer, ac mi werthodd yn dda . . . (t. 389)

Trowch wedyn at y ddarlith *Pwy Fu Yma . . . ?* i ddod i adnabod rhai o hen gymeriadau Pen Llŷn – rhai fel Doctor Jôs, Dic Fantol (na siaradai fawr o Saesneg ond a briododd Wyddeles na siaradai fawr o Gymraeg), William Owen yn gyrru'r tracsiwn, a Ianto Soch.

Mae ei lyfrau'n gyforiog o hanesion tebyg a dyma sy'n rhoi lliw i'r hanes a allai fod yn gatalog sych o ddigwyddiadau, dyddiadau a ffeithiau yn nwylo hanesydd arall. Dyma'r safbwynt mae o'n ei gymryd trwy'r llyfrau a'r darlithoedd am ei fod yn adnabod ei ddarllenwyr, llawer ohonyn nhw'n rhai sy'n gwrando arno yn y pulpud ar y Sul ac ar ei ddarlithoedd yn ystod yr wythnos. Dyma sydd wedi gwneud ei bregethau mor boblogaidd hefyd ond mai cymysgedd o ddiwinyddiaeth a hanesion sydd ar waith yno. Yr un dull yn fras sydd ganddo yn y pulpud, yn y ddarlithfa ac o fewn cloriau'r llyfrau.

Mae llawer hanesyn difyr yn troi'n gomedi sefyllfa oherwydd craidd y stori ac oherwydd dawn dweud yr awdur. Daw â chymhariaeth sydyn i godi gwên yn stori'r potsiar o Walchmai sy'n gwerthu hen filgi. Pan ofynnwyd iddo a oedd y milgi'n gallu symud – 'Fel teligram!' oedd yr ateb sydyn. Ond mae enghreifftiau tebyg a phellach o'i ddawn yn yr holl lyfrau a'r darlithoedd.

Gŵyr yn union beth sy'n mynd â bryd ei ddarllenwyr. Dyna ichi rywbeth syml fel cymharu prisiau ŵyn ym marchnad y Pasg 1926 gyda phrisiau Morgan Evans yn arwerthiant y Gaerwen yn 1997, yn y 'Porthmyn' (tt. 203–4). Yna, yn y tudalennau dilynol mae'n neidio o'r hanesyddol i'r cyfoes ac yn trafod 'Easy Care Sheep' Iolo Owen, Trefri, Bodorgan (tad y digrifwr Tudur Owen, gyda llaw), ar yr un gwynt bron â'r preiddiau 'Wiltshire Horn' ym Môn yn 1923. Y cyswllt yw bod defaid Trefri wedi datblygu o'r 'Wiltshire Horn'. Mae'n adnabod ei faes yn drylwyr ac yn llwyddo i'w gyflwyno mewn ffordd ddiddorol iawn. Enghraifft arall yw'r wybodaeth a gawn am ddatblygiad y cynllwyngi ('lercher') a milgi Iwerddon yn y 'Potsiars' (t. 20). Rhaid ei fod wedi ymchwilio'n fanwl ac eto mae'r cyfan yn cael ei gyfleu mewn dull difyr, hamddenol. Camp fyddai cael pennod mor ddifyr ac apelgar mewn unrhyw lyfr â'r bennod 'Camp a Chrefft y Potsiar'. Mae o'n dangos parch at ei wrthrych, nid ei wneud yn destun dirmyg neu'n gymeriad amheus ond yn ei gyflwyno yn ei holl naturioldeb ac ynghanol ei galedi. Does ryfedd yn y byd i un ddynes o Walchmai ofyn i'r ymgymerwr am Emlyn Richards i wasanaethu yn angladd ei thad, er nad oedd yn ei adnabod nac wedi bod yn ffyddlon i unrhyw achos. Ei rheswm dros y fath gais oedd 'bod fy nhad wedi bod yn botsiar'. Mae apêl ei destunau a'i lyfrau yn eang iawn ac yn cyffwrdd calon gwerin – hynny o werin sydd ar ôl. Wrth reswm, cytunodd yntau i wasanaethu yn yr angladd.

Ar ôl eu darllen, mae ei holl lyfrau'n gadael rhyw gynhesrwydd nad yw'n agos at ein llyfrau hanes; rhyw deimlad 'ew, mi fyddwn i wedi hoffi nabod hwn neu hon, neu fyw yn y cyfnod yna'! Erbyn diwedd *Rolant o Fôn* rydan ni'n teimlo ein bod yn adnabod Rolant o Fôn, ac erbyn diwedd *Bywyd Gŵr Bonheddig* mae'r hen ddyddiadurwr yn gyfaill a'i gyfnod yn fyw. Mae'r potsiars, porthmyn ddoe a heddiw a'r pregethwyr yn gydnabod ac yn gwmni. Ac mi roeddan ni, wrth gwrs, yn adnabod rhai o'r cymeriadau o Lŷn y sonia amdanynt yn *Pwy Fu Yma . . . ?*, a rhai o'r 'cymêrs' o Fôn sydd yn y 'Cymeriadau'. Yr hyn sy'n destun rhyfeddod i mi yw bod Emlyn wedi cyflwyno'r Gwilym Price a'r Ned Go yr oeddwn i'n eu hadnabod a'r John Fron Felan yr ydw i'n ei adnabod, yn ogystal â'r Twm ac Ifan Twin (yr Efeilliaid) fel yr oeddwn yn eu cofio. Gwnaeth hynny trwy gyfrwng cameos lliwgar ryfeddol. Mae wedi deall beth oedd yn eu gwneud nhw'n gymeriadau mor arbennig, ac wedi cyfleu hynny mewn dull cartrefol, difyr.

Mae'r cyfan wedi'i gyflwyno mewn iaith y mae Cymry'r gogledd, yn werin a dosbarth canol dysgedig, yn ei deall – Cymraeg sy'n agos iawn at y llafar, ond y llafar urddasol sydd eto'n debyg iawn i'w iaith yn y pulpud. 'Gwaith anodd, yn gofyn greddf a gwybodaeth, yw trosglwyddo dawn siarad i bapur a llythyren,' meddai Dafydd Glyn Jones yn ei gyflwyniad i *Pwy Fu Yma . . . ?*, ac ychwanega fod Emlyn wedi llwyddo i wneud hynny yn y ddarlith honno. Llwyddodd yn ei holl lyfrau, ac mae'r iaith yn rhan fawr o'r apêl, does dim dwywaith.

Cymysgedd yw ei waith ysgrifenedig o dri pheth – cofnodi hanes, storïau difyr am bobl (rhai yn gysylltiedig â'r hanes hwnnw, eraill yn gymeriadau sy'n sefyll ar eu pennau eu hunain), a darlithoedd. Mae uchafbwyntiau ym mhob categori ond i'r rhai ohonoch sydd heb ddarllen llawer o'i waith, cychwynnwch gyda'r ddarlith *Pwy Fu Yma . . . ?* a'r 'Potsiars', ac fe gewch wledd fydd yn creu archwaeth am lawer mwy.

Na, nid dawn y jac-do sydd ganddo, ac nid jac-do ydyw – mae'n debycach i barot ffraeth!

DETHOLIADAU
O'I GYFROLAU BLAENOROL

Os oedd yn Llŷn feddyg y ddafad wyllt, yr oedd yn yr
Ardal Wyllt [Llanfair-yng-Nghornwy] feddyginiaeth at
bob ryw ddafaden arall, y rhai hynny a flinai ddyn ac
anifail. Nodd o 'lysiau pen tai' yw'r feddyginiaeth o hyd
yn yr ardal. Y maent yn llysiau hynod o noddlyd, ac o'u
gwasgu ar y defaid fe ddifera'r sudd o'r dail. Os gwneir
hyn yn rheolaidd am ychydig ddyddiau, diflanna'r defaid.
Ond mae meddyginiaeth arall i'r defaid hyn gan drigolion
Llanfair, sef mynd at 'Ffynnon y Defaid' ar Fynydd y
Garn, gwlychu pìn yn nŵr y ffynnon ac yna pigo'r ddafad
â'r pìn hyd at waed. Mwy o goel nag o gyffur, dichon.

★   ★   ★

Fe gredid fod rhinwedd neilltuol mewn tail ceffylau ac fe
wneid defnydd cyson ohono fel moddion i wella
gwahanol anhwylderau ar anifeiliaid. Un ohonynt fyddai'r
'sgoth wen' ar lo. Cleddid y llo yn y domen a dim ond ei
ben allan! Clywsom am gladdu'r mochyn a 'blaen ei

drwyn yn sticio allan', ond claddu'r llo er mwyn iddo *fyw* a wneid! Gadewid y llo yno, yn dyhefod yn y gwres. Er mor ddoniol y moddion fe weithiai'n ddi-feth, ac achubwyd llawer llo rhag y bedd.

★ ★ ★

Yr oedd yr Ardal Wyllt yn nodedig am nadroedd. Roedd y llethrau creigiog a'r corstir yn diriogaeth wrth fodd y seirff. O bryd i'w gilydd mi fyddai'r neidr yn brathu rhywun. Doedd dim amser i geisio'r doctor [o Fodedern neu o Gemais] neu fe fyddai'r gwenwyn wedi nychu'r truan. Mewn argyfwng o'r fath yr oedd dewis o ddwy feddyginiaeth. Un oedd cyw iâr; os byddai un yn hwylus wrth law, ei ladd a rhwygo'i ochr i wthio'r llaw a frathwyd i'r perfedd a'r gwaed cynnes. Ond fe fyddai'n haws dod o hyd i'r feddyginiaeth arall, os oedd y gors yn agos, sef y gelen, yr ysliwen fer, ddu a'i thursiau llipa. Gosod ei cheg ar y frath ac mi fyddai honno'n siŵr o 'sugno i maes y gwenwyn', chwedl Pantycelyn. Fe ddefnyddid y gelen i leddfu'r ddannoedd trwy osod ei cheg eto wrth fôn y dant. Fu erioed wasanaethferch hafal i'r gelen. Nid rhyfedd iddi ddod yn gyffelybiaeth am y diwyd a'r glew – 'wrthi fel gelan'!

Heb os, yn yr ardal hon, y môr oedd y cyfarwyddwr diogelaf a'r feddyginiaeth lwyraf. Os golchir y traethau hyn â'r môr peryclaf, a hawliodd i'w geubal sawl bywyd ar hyd yr oesoedd, bu'r môr hwn hefyd yn feddyg a phroffwyd i drigolion y penrhyn gwyllt er cyn cof.

Y mae ffydd y bobol hŷn yn y môr yn ddisyflyd, waeth pa ddarganfod a wna'r gwyddonydd. Bron na ddwedwn eu bod yn deall iaith y môr, ac yn adnabod ei gyfrinachau. Nid rhyfedd fod pob planhigyn sy'n anadlu'r heli yn foddion gwellhad iddynt. Does dim meddygfa debyg yn unman i lan y môr ar drai. Credant fod rhin arbennig yn aroglau'r gwymon gwlyb. Yn wir, rhestrant y gwymon ar uchaf rhestr eu cyffuriau. Gall ei aroglau iachusol lacio

158

caethiwed yr ysgyfaint a rhyddhau y fogfa. Onid oes ar lan y môr feddyginiaeth i'r andwywr blin – y cryd cymalau a'i deulu? Yn ôl 'meddygon' y fro hon mae rhin y gwymon cystal â'r un cyffur i ddadlidio hen grydau blin y corff.

Mi fydd hi'n ddrwg ar y trigolion hyn 'tu draw i'r llen' os yw damcaniaeth Ioan y Breuddwydiwr yn gywir – 'A'r môr nid oedd mwyach'!

Yr Ardal Wyllt (golygydd: Emlyn Richards)
– Cyhoeddiadau Modern Cyf., 1983.

Yn ddiddorol iawn, yn Gymraeg yr arwerthai John Rowlands [John Bodgynda, Brynteg] bob amser, a gwnâi hynny yn llithrig a llyfn. Deil rhai i glywed ei barabl soniarus yn gwerthu – 'Wyth bunt, wyth bunt, wyth bunt – dowch, bendith tad ichi – wyth a chweugain – diolch – wyth a chweugain, wyth a chweugain – naw punt – naw punt – rhowch dro arni hi – mae hi'n ddigon o ryfeddod – oes yma goron yn rhywle?' Dacw fawd i fyny yn y dorf a gwerthwyd y fuwch. Byddai rhai yn ddigon busneslyd ac am wybod pwy brynodd. Ateb John Rowlands i holi felly fyddai 'eitha gŵr bonheddig'. Holai yn aml, cyn dechrau gwerthu, beth fyddai enw'r fuwch, ac wrth yr enw hwnnw, 'Blacan' neu 'Seren', y gwerthai hi. Wedi'r cwbl byddai'r fuwch odro bron fel aelod o'r teulu yn y tyddynnod yn yr oes honno. Tra oedd John wrthi'n gwerthu corlannaid o ddefaid un tro, galwodd rhywun arno – 'Faint o ddannadd sydd ganddyn nhw?' Fel ergyd atebodd yr ocsiwnïar – 'Mae ganddyn nhw fwy nag sydd gen ti.' Holodd un arall pan werthai John Rowlands hwch dorrog – 'Pa bryd y daw hi â moch?' 'Gynta byth ag y medar hi!' meddai'r gwerthwr.

Byddai gofyn weithiau iddo werthu yn Saesneg gan y ceid Saeson ymhlith y prynwyr. Doedd gan John Rowlands fawr iawn o feistrolaeth ar yr iaith honno. Wrth werthu moch bach unwaith holodd clamp o Sais ef mewn syndod, 'Aren't they very small?' gan awgrymu fod rhyw nam ar y moch. Atebodd John ei ddryswch yn bwyllog gan ddethol o'i eirfa brin – 'You must be small to be big'. Ateb buddiol iawn i Sais a ddaeth i ffermio i Fôn! Ar achlysur arall gwerthai hwyaid, gryn ddeg i ddwsin a cheiliog yn eu plith. Gan fod yna Saeson yn dangos diddordeb yn yr adar byddai raid troi i'r Saesneg. Ymddangosai'r dasg yn ddigon hawdd. 'How much for the ducks?' gofynnodd John, a dyna hi'n nos arno. Plygodd at gydnabod wrth ei ymyl, 'Be gebyst ydi ceiliog chwiadan yn Saesneg, dŵad?' 'Drake,' meddai hwnnw, er mwyn rhyddhau'r ocsiwnïar mud. 'Paid â rwdlian,' meddai John gan gredu'n siŵr fod y cyfaill yn tynnu'i goes. Dewisodd ei gyfieithiad ei hun: 'How much for the ducks and the ducker?'

★ ★ ★

Gyrrwr gwartheg o dref Llangefni oedd Jac ['Jac Beti'], a ddaeth yn enwog yn ei grefft. Perthynai iddo ddwy rinwedd amlwg – ei ddawn unigryw i yrru gwartheg a'i feddwl mawr a'i barch i Betsan Jones, ei fam. Yn ei bortread o Jac fe gyfeiriai'r artist, Mitford Davies, ato fel 'yr olaf o borthmyn Môn'. Mae'n wir mai Jac Beti oedd y gyrrwr gwartheg olaf a welwyd ar ffyrdd yr ynys. Yr oedd ynddo ryw ddawn arbennig i adnabod anifail, ac o ganlyniad llwyddai'n rhyfeddol i drin a thrafod gyr o wartheg. Er ei fod yn gwbl anllythrennog cyn belled â bod darllen ac ysgrifennu yn y cwestiwn, eto gallai ddarllen rhyw arwyddion na sylwai neb arall arnynt.

Golygfa wythnosol fyddai gweld Jac ar ddiwrnod marchnad warteg yn pastynu gyr mawr o warteg o'r Smithfield i'w dosbarthu i rai o ffermydd a thyddynnod Môn. Perthynai'r gwarteg i hanner dwsin, fwy neu lai, o wahanol ffermwyr a golygai hynny y byddai raid i Jac druan ddidoli'r gwarteg ym mhob fferm. Yn rhyfedd iawn, ni fethai fyth yn ei gyfrif na'i ddethol.

Weithiau, ar daith go bell, elai Betsan Jones, ei fam, yn gwmni ac yn help i Jac. Bodlonai Betsan i gytuno â holl orchmynion Jac ar y teithiau hynny a byddai yntau yn ddigon balch o'r cyfle i arglwyddiaethu ar rywun heblaw y gwarteg. Prif gyfraniad ei fam fyddai sefyll ar y croesffyrdd i gyfeirio'r gyrroedd anystywallt. Methai amynedd Jac weithiau, hyd yn oed efo'i fam, a garai gymaint. Jac yn gweiddi a Betsan Jones druan yn methu'n lân â chyrraedd y groesffordd mewn pryd. Doedd Jac ddim yn synhwyro fod 'Mam yn mynd yn hen'. Yn un o'r ymdrechion hynny collodd yr hen wraig ei het; arafodd, gan feddwl troi'n ôl. Torrwyd y ddadl gan fonllef ei mab – 'Dos yn dy flaen, waeth iti befo'r het yna, hen het hyll oedd hi iti.' Drama nas gwelir fyth eto ar groesffyrdd Ynys Môn.

Porthmyn Môn – Gwasg Pantycelyn, 1998.

Rolant o Fôn [Rowland Jones, y cyfreithiwr a'r bardd], mae'n debyg, oedd yr olaf o'r hen deip gwreiddiol o gyfreithiwr a ddefnyddiai bob cynneddf o'i eiddo a phob cryfder a gwendid yn ei achos er mwyn cael ei faen i'r wal. Gweithiai'n fanwl ac yn ddyfal ar ei achosion, gan droi pob carreg. Yna wedi gosod ei achos yn bwyllog gerbron y fainc, gadawai i'w ddychymyg barddol a thipyn o hwyl y pulpud glensio'r hoelen.

Ar gyfrif ei ffraethineb iach a'i agosatrwydd gwerinol daeth Rolant yn gryn ffefryn yn llysoedd Môn. Fe allesid dweud mai cyfreithiwr oedd o wrth ei alwedigaeth ond mai llenydda a barddoni oedd ei fywyd. Byddai cryn dyndra weithiau rhwng y bardd a'r cyfreithiwr ynddo. Mae'n debyg bod y swyddfa yn lle rhy gartrefol gan y manteisiai pobl ar eu cyfle a throi o fusnes y gyfraith i fyd y bardd. Byddai amryw yn galw heibio gyda chais am bwt o farddoniaeth erbyn priodas y ferch y Sadwrn dilynol, a dyna lle byddai Rolant yn holi'n ofalus am rinweddau'r ferch fel pe bai'n mynd i'w hamddiffyn mewn brawdlys. Dro arall, ceid gofyn cân ar achlysur pen-blwydd a byddai raid i Rolant druan ollwng popeth a dechrau cyfansoddi. Arfer cyffredin arall yn y dyddiau hynny oedd cael marwnad ar farwolaeth aelod o'r teulu, ond beth bynnag fyddai'r dasg, rhoddai Rolant sylw i'r ceisiadau hyn i gyd.

★ ★ ★

Gan fod potsio yn fywoliaeth i sawl un ym Môn yn y gorffennol, fe ymddangosent yn gyson yn y llys. Ar un achlysur, a Rolant ar ei orau yn achub cam un o botsiars mwyaf adnabyddus yr ynys, pwysleisiodd mai helfa fechan iawn oedd gan ei gyfaill y noson y daliwyd ef. Tra oedd yr amddiffynnwr yn dyfalu am ryw rinwedd yn y potsiar druan, fe dorrwyd ar ei draws gan Forcer-Evans, Clerc y Llys, a fynnai atgoffa'r fainc o gyn-droseddau'r potsiar – yr oedd y rheini'n rhaffau o hyd. Dechreuodd y clerc ddarllen y cyn-droseddau, a'r cyfan ohonynt yn ymwneud â photsio. Gwrandawai'r ynadon gan synnu fod yna gymaint ag un ffesant ac ysgyfarnog ar ôl ym Môn. Torrodd cwestiwn y cadeirydd ar draws y clerc, 'Well, Mr Jones, what can you say now about this man?' Cododd Rolant yn bwyllog gan ateb, 'I think you should deal leniently with him, My Worship; he is, after all, one of the best customers of the Court.' Rhyddhawyd y potsiar.

★ ★ ★

Byddai llawer o droseddau llysoedd Môn yn ymwneud â byd amaeth – fel dwyn neu gam-drin anifeiliaid – ac er nad oedd yno lwynog pedwar troed i darfu ar y ffowls, fe geid digon o rai deudroed. Deuai llawer iawn o borthmyn ffowls, yn enwedig gwyddau a hwyaid, o Loegr i Fôn cyn y Nadolig i brynu ffowls. I un o'r rhain y gwerthodd tyddynnwr o Lannerch-y-medd ei wyddau i gyd ac ychydig o dwrcïod. O gyffiniau Warrington y deuai'r porthmon dan sylw ac roedd yn gymeriad hynod o ddymunol a hawdd iawn delio ag ef. Addawodd y byddai'r tâl am y ffowls yn cyrraedd gyda'r troad ond, yn anffodus, ni welwyd yr un geiniog am gynhaeaf Nadolig y tyddynnwr druan. Doedd dim amdani ond llythyr twrnai, a phwy yn well na Rolant o Fôn am hwnnw? Fe fyddai'n haws rhoi disgrifiad o'r da pluog i Rolant na'r un twrnai arall. Ond er llythyru doedd dim yn tycio efo'r porthmon o'r wlad bell. Aeth yn achos llys gyda Rolant yn dadlau achos y tyddynnwr. Yr oedd y gwrandawiad yn y Llys Sirol gerbron Ei Anrhydedd y Barnwr Ernest Evans. Cymerodd Rolant gwmpas llydan yn ei anerchiad i'r Barnwr gan gychwyn trwy ganmol Pont y Borth. Soniodd am ei rhinweddau a'i manteision i Ynys Môn. Yna, troes yn sydyn i gondemnio'r Bont a ganmolai gynt. 'Os yw'r Bont yn llwybr bendith i Fôn, mae'n llwybr melltith hefyd,' meddai. 'Onid dros y bont hon y llithrodd y llwynog o Warrington bell a gwyddau'r tyddynnwr hwn ar ei gefn?' Yna mewn tôn hollol wahanol troes at y Barnwr i'w atgoffa o stori Siôn Blewyn Coch yn *Llyfr Mawr y Plant*; rhoes fras gyfieithiad o'r stori honno er boddhad rhyfeddol i'r Barnwr. Bu raid i'r Siôn Blewyn Coch o Sais dalu'n ddauddyblyg am y ffowls o Lannerch-y-medd!

Rolant o Fôn – Gwasg Gwynedd, 1999.

Pwy Fu Yma . . . ?

Darlith Flynyddol Llŷn

gan

Emlyn Richards

[Darlith Flynyddol Llŷn – traddodwyd yn Ysgol Botwnnog, 26 Tachwedd 1999. Cynhwysir hi yma, ymhlith ei gyfrolau, i gynrychioli'r nifer dda o ddarlithoedd a luniodd Emlyn Richards dros y blynyddoedd.]

Tuedda pobol Llŷn i droi pob lle yn 'gynefin siarad'. Cafwyd cynefin newydd ar ôl 1948, sef meddygfa'r doctor – yr enw yn Llŷn fyddai'n syml, 'Tŷ Doctor'. Yr oedd hwn yn fan delfrydol gan y deuai iddo bobol o gylch eang i uno â'i gilydd yn adar o'r unlliw. Y Sarn, Pengroeslon, y Rhiw, Porth Neigwl a Nanhoron – dyma filltir sgwâr y cleifion hyn. Gan nad oedd neb yn mendio mi roeddent yn cyfarfod yn gyson. Mae sôn i un o'r criw ofyn un bora, 'Lle mae Huw heddiw?' Atebodd cyfaill iddo'n gwbwl ddibetrus, 'Tydio ddim hannar da heddiw!'

Ym mhob man arall drwy'r wlad mae pobol yn dawel ac yn sidêt mewn meddygfa, ond ym Motwnnog byddai'r syrjari yn bedlam swnllyd. Rwy'n cofio Phyllis Jones y groesawferch yn nhŷ'r doctor yn dweud wrtha i y byddai Nhad yn colli sawl twrn am y byddai wedi ymgolli mewn sgwrsio.

★ ★ ★

Am ei odrwydd, ei ffraethineb distaw a'i wreiddioldeb digymar y cofir Doctor Jôs [Robert Henry Jones, a fu'n feddyg am flynyddoedd lawer ym Motwnnog, Llŷn; cyfeiria Emlyn Richards ato hefyd yn ei hunangofiant yn y gyfrol hon].

Yr oedd popeth amdano ac yn ei gylch mor wahanol i bawb arall. Fyddai fyth sicrwydd y cyrhaeddai ef a'i gerbyd ben eu taith. Yr oedd yna ryw awyrgylch o *Fawlty Towers* o gwmpas pob siwrnai o'i eiddo. Yr oedd wedi dysgu'r hen Ffordyn i agor pob llidiart a fyddai heb ei chliciedu ac yn naturiol fe adawodd y gamp honno ei ôl ar drwyn y cerbyd. Ac o sôn am dolciau'r Ffordyn, doedd yna ond y lluosog amdani.

Fu erioed feddyg haws i fynd ato a thueddai pobol i gymryd mantais arno yn hyn o beth – ni allai ddianc rhag ei bobol. Cyfarfu â dyn o'r Sarn wrth Gongl-y-meinciau, cartref Ellis Roberts y saer. 'Mi rydw i'n bur wael, doctor,' meddai'r dyn. 'Mae fy ngwres i dros gant a phump.' 'O!' meddai'r meddyg, 'well ichwi alw efo Ellis Roberts i gael arch; nid doctor ydach chi isio yn y cyflwr yna!' Dro arall daeth gŵr ifanc a'i nain drosodd o Ynys Enlli at y doctor yn Aberdaron. Yr oedd Doctor Jôs yn disgwyl amdanynt. Sibrydodd yr ŵyr yng nghlust y doctor: 'Peidiwch â mynd i ormod o gostau efo hi, gan ei bod hi mewn oed mawr.' Dro arall galwyd ef ar noson o eira i fwthyn ar lethrau mynydd y Rhiw. Wedi hir ymdrech, cyrhaeddodd ac yn ôl ei arfer curodd ar y drws, agor a cherdded i mewn. Roedd yr hen lanc yn eistedd wrth danllwyth o dân braf a'i wyneb coch yn disgleirio yn fflam y tân. Holodd y doctor am ei waeledd ac meddai'r bythynnwr, 'Ei gweld hi'n noson fawr yr oeddwn, a thybiais tybed allai'r doctor ddod yma ar y fath dywydd pe bawn i yn wael!' Diflannodd y doctor bach i'r nos a chadw'i ymateb a'i deimladau iddo'i hun.

Byddai gan y doctor ddywediadau parod ar gyfer gwahanol sefyllfaoedd yn hanes ei gleifion. Un ohonynt oedd: 'Mi fûm yr un fath yn union â chwi fy hun.' Credai nad oedd dim yn debyg i fod yn brofiadol ei hun o'r afiechyd, ac os oedd y doctor wedi mendio, wel roedd siawns dda iddynt hwythau ddod trwyddi. Daeth hwn yn un o hoff sylwadau'r doctor – hyd nes iddo ei gyfeirio at wraig feichiog! Bu'r doctor yn hynod ofalus o'r sylw ar ôl hynny. Wedi archwilio gwraig ganol oed yn bur drylwyr ar un achlysur, fe droes ei gefn arni ac edrych drwy'r ffenest gan fwmian rhyngddo ac ef ei hun, 'Babi eto.' Deallodd y wraig – ffromodd, gwylltiodd a gweiddi, 'Dwn i ddim yn y byd mawr yma sut yr aeth o yna.' Meddai'r doctor bach yn dal i syllu drwy'r ffenest, 'Mi wn i yn iawn.'

Cwynai gŵr Tyddyn Sandars o Dudweiliog fod cryd cymalau yn cloi ei gymalau fel na allai symud bron. 'Fedrwch chi roi rhywbeth imi allu symud?' meddai'n ddigalon wrth y doctor. Heb air nac archwiliad rhoes y doctor botelaid o ffisig i'r dyn cyfflyd, fel pe bai yn disgwyl amdano. Yr oedd y dyn yn ôl yn y feddygfa drannoeth yn bytheirio'i gŵyn, 'Beth roisoch chi yn y ffisig yna? Mi rydw i wedi rhedag drwy'r dydd ddoe a neithiwr.' Pesychodd y doctor, yn ôl ei arfer, ac meddai drwy'r crygni, 'Mi roeddwn i'n meddwl eich bod chi'n methu symud – wel mi rydach chi'n well ar y pen hwnnw os buoch chi'n *rhedag*!'

'*Pwy Fu Yma . . . ?*' – cyhoeddwyd gan yr awdur, 2000.

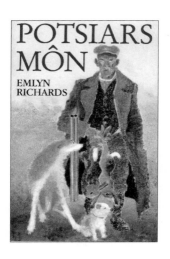

Sefydlwyd ef [John Williams, Brynsiencyn] yn weinidog yn un o eglwysi mwyaf poblog ei gyfundeb – Princes Road, Lerpwl – ym 1895. Yr oedd bywyd dinas brysur fel Lerpwl yn ei lethu'n lân a byddai'n dianc yn gyson i Fôn i ymlacio yn nhawelwch Llanfair-yng-Nghornwy, bro mebyd ei dad. Yr oedd iddo ganiatâd saethu ym mhob cae o'r cwmwd.

Ni fyddai John Williams fyth yn dod i Fôn heb ei wn. Pan glywai gwragedd yr ardal sŵn saethu, gwyddent mai'r seraff o Lerpwl oedd wedi cyrraedd. Paratoai pawb grempog rhag ofn iddo droi i mewn. Ond, gan amlaf, yn y siop y galwai'r saethwr â'i faich 'sgyfarnogod ac ambell gwningen. Dyna'r helfa a fyddai yn y golwg – credai Sadrach Hughes y byddai yna gorffyn arall yn y sach. Câi'r siopwr orchymyn i bacio'r helfa fesul cwpwl i'w hanfon hefo'r post y pnawn hwnnw i'w aelodau dethol yn y ddinas fawr. Ar un o'r troeon hynny galwodd gwraig y siop ar i Sadrach ddod am ei de a'i grempog. Yn ufudd gadawodd yr heliwr a'r paciwr am eu te, yn ymgolli mewn sgwrs felys. Troes y pregethwr i'w daith ac aeth y siopwr i gywain y 'sgyfarnogod. Yr oedd cath fawr drilliw yn llyfu'i cheg yn fodlon uwchben 'sgwarnog braf. Yr oedd y gath wedi glanhau'r anifail yn lân o'r tu fewn, fel y bydd hen ferch ddarbodus yn glanhau ŵy wedi'i ferwi'n galed. Rhuthrodd Sadrach i fyny'r pentref a rhyw olwg wyllt arno. Anelodd at ddrws tŷ potsiwr gorau'r fro a'i orchymyn i saethu dwy 'sgwarnog ac y câi ei dalu'n ddauddyblyg am ei drafferth. Doedd gorchest felly'n fawr o drafferth i un o'r Ardal Wyllt.

Byddai ergydion y prynhawn yn argoeli oedfa bregethu yn Salem yr hwyr. Thomas Williams, Tŷ Wian, blaenor yn Salem a chefnder i'r pregethwr, a wnâi'r paratoadau dirybudd ond yn gwbl ddirwgnach. Câi gweision yr ardal noswyl gynnar y noson honno. Ni fyddai raid rhybuddio yr un ohonynt i fod yn yr oedfa; roedd pawb yn siŵr o ddod. Galwai Thomas Williams yn y Tŷ Capal i rybuddio'r wraig i dynnu'r llenni dros y ffenast ar y llaw chwith i'r pregethwr – 'neu,' meddai, 'os y gwêl yr hen Siôn 'sgwarnog neu glogyn chawn ni ddim pregath; mi fydd wedi crwydro ar eu hola nhw.'

★   ★   ★

Mae'n amlwg ddigon y gwyddai Seth Jones [o Rosmeirch] am bob ystryw rhag cael ei ddal fel potsiar, er bu bron iddo gael ei ddal ar un achlysur ar stad Tresgawen. Mae'n amlwg i'r ciperiaid gael achlust un noson fod Seth allan tua'r coedlannau. Cornelwyd y potsiar gan dri chipar wrth un o'r cyferau; plygodd ei wn a rhoes orchymyn i'r filgast fynd adref ar unwaith. Ufuddhaodd honno ar amrantiad tra dringodd yntau i ben uchaf un o'r coed tewfrig. Digwyddodd a darfu'r cwbl mor ddisymwth fel, pan gaeodd y ciperiaid y cylch, nad oedd yno neb na dim ond coed llonydd a Seth Jones ynghudd yn un ohonynt. Gwrandawodd y potsiar ar drafodaeth y ciperiaid ffwndrus wrth droed y goeden, yn llawn siomiant am iddynt fethu unwaith eto â'i ddal.

Bu Seth Jones yn hynod ofalus rhag cael ei hun yn rhwyd y cipar ac ni fyddai fyth yn gorddibynnu ar ei sgiliau a'i ddoniau neilltuol, ond fe droai bob amgylchiad yn gyfle i botsio. Ymunodd ar un achlysur â chôr o Rosmeirch a gerddai'r plwyf i ganu carolau cyn y Dolig ac, yn naturiol, yr oedd y ddau blasty yn dynfa naturiol i'r carolwyr. Rhoes Cyrnol Lloyd Tregaian bunt i'r côr am gael clywed ei ddewis garol, ac yr oedd asbri'r Nadolig i'w weld a'i deimlo yno. Aethant ymlaen wedyn drwy'r coed i Dresgawen, i'r un awyrgylch Nadoligaidd eto. Yr oedd gwedd a lleferydd gŵr y tŷ yn brawf ei fod mewn hwyliau rhagorol, a rhoes yn hael ryfeddol i goffrau'r côr gan roi caniatâd iddynt alw yn nhai'r ciperiaid ar y stad. Yn ddistaw bach fe ddiolchodd Seth Jones am y nos! Pan agorwyd drws tŷ'r pen-cipar, Lekin, gwelwyd fod ciperiaid y stad i gyd wedi cyfarfod yno, ac yr oeddynt oll mewn hwyliau da eithriadol. Synhwyrodd y potsiar nad oedd yr un ohonynt mewn cyflwr diogel i fynd allan y noson honno; gadawodd y côr ac aeth adre i nôl y filgast a'r gwn. Yn ôl disgrifiad Seth Jones yr oedd ffesantod fel sypiau grawnwin ar y coed. Dychwelodd i'w dŷ dan ei faich yn tystio na chafodd Ddolig tebyg i hwn erioed.

Potsiars Môn – Gwasg Gwynedd, 2001.

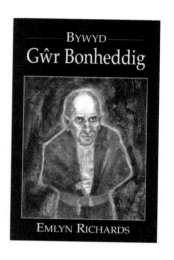

Yr oedd y ddeunawfed ganrif yn gyfnod diddorol iawn yn hanes amaethyddiaeth. Yr oedd peth chwyldro amaethyddol yn Lloegr ar y pryd ac, wrth i'r boblogaeth gynyddu, daeth mwy o alw am fwyd, ac o gyfeiriad y tir y deuai hynny. O ganlyniad daeth galw am ddiwygio amaethyddiaeth a chaboli a gwella'r tir. Cydiodd y diwygiad yn frwd yn Lloegr ond stori gwbl wahanol oedd hi yng Nghymru. Yr oedd hi'n bell i hanner olaf y ddeunawfed ganrif cyn i chwarter o dir comin a diffaith Cymru gael ei gau a'i drin.

Un o'r camau pwysicaf ym mhroses gwella'r tir a diwygio amaethyddiaeth oedd gwrteithio. Cyn hynny, gadewid y tir a gynhyrchai rawn neu wair yn gyfan gwbl ar drugaredd natur. Yr oedd William Bwcle [sgweiar y Brynddu, Llanfechell, Môn] ar flaen y gad yn hyn a chyfeiriai'n barhaus yn ei ddyddiadur at wrteithio. Mae'n fwy na thebyg mai ei gymydog [Edward Wynne, Bodewryd] a ddaeth â'r syniad o gario tywod cregynnog i'r tir fel gwrtaith. Byddai'r tywod yn cadw'r tir rhag caledu ac yn sefydlogi'r pridd. Ni fyddai William Bwcle byth yn meddwl am aredig cae oni fyddai wedi ei dywodi'n dda yr haf cynt.

Yr oedd tywod Traeth Coch, Môn, yn wrtaith pur enwog ac o'r fan honno y mynnai William Bwcle gael ei dywod. Yn naturiol ni fyddai fawr o werth gwrteithiol mewn tywod glân ond, yn gymysg â thywod Traeth Coch, ceid cregyn cocos pydredig a faluriwyd gan ymchwydd y môr garw, ac wedi eu corddi'n fân ar y creigiau. Yr oedd yn broses ddigon costus i gael swm mawr ohono o Draeth Coch i harbwr Cemais ac yna ei gario mewn bagiau i'r Brynddu.

Bu cario gwymon môr i'r tir fel gwrtaith yn arferiad cyffredin mewn ardaloedd agos i'r môr. Mae hanesyn am ddau dyddynnwr o ben draw Llŷn yn gofyn caniatâd Robert Evans, Methlem, i fynd drwy ei dir i draeth enwog Porthoer ('Whistling Sands') i gyrchu tywod a gwymon i'r tir. Yn ôl traddodiad hen yr ardal honno fe roed y cais ar gân:

> Mae Wil y crydd ac Ifan
> Yn 'mofyn llwyth o wmon,
> A hwnnw'n wmon heb ei ail
> I bydru tail mewn toman;
> A bagiad bach o dywod,
> Yn ôl yr hen arferiad,
> I Neli'i roi o hyd y llawr
> Rhag cwilydd mawr i'w welad.

★ ★ ★

Ceir cryn amrywiaeth o enwau caeau sy'n deillio o'u siâp yn nyddiadur y Brynddu. Byddai Hugh Evans, y Maes, Llanfair-yng-Nghornwy, yn arfer cwyno am y tyddyn a ffermiai ei dad ar fynydd y Garn, 'Sut y medar neb fyw mewn rhyw hosan ddiawl o le?' Heb fod ymhell o Benygraig y mae *Tyddyn Llawes*!

Cae'r Delyn, Llain Delyn neu *Erw'r Delyn*: Arweiniwyd rhai i gredu y bu rhyw delynor yn gysylltiedig â'r caeau yma. Dim byd o'r fath; cae ar siâp telyn a olygir. Cae trionglog ydyw, felly, ac mae sawl Cae'r Delyn ar stad y Brynddu, fel a geir ym mhob ardal. Cyfeiriodd William Bwcle yn fynych at yr enw yn ei ddyddiadur (e.e. 7 Tachwedd 1748). Ceir hefyd yr un enw ar gaeau yn Llanbabo ym Môn ac yn Llaneilian. Y mae llain go helaeth o dir yn Rhoshirwaun yn Llŷn a gaiff ei adnabod fel 'yr hetar', yr hen haearn smwddio erstalwm a'i driongl amlwg.

Cae'r Lloriau: Dyma un o'r enwau mwyaf diddorol ohonynt i gyd ac, yn siŵr, y mwyaf anghyffredin. Cae o bedair acer ar hugain yng Nghoeden ydyw, ac ynddo y ceir y ffynnon arbennig, Trinculo. Ond nid y ffynnon, er ei phwysiced, a roes ei henw i'r cae, ond yn hytrach graig arbennig a dorrai i'r wyneb ynddo. Y mae'r graig hon o wneuthuriad neilltuol iawn gan fod modd ei thafellu'n hwylus fel 'torth dafellog'. Mae ôl naddu blynyddoedd arni o hyd, a defnyddid y tafelli hwylus yma i lorio adeiladau. Y mae yna adeilad wedi ei lorio â'r graig hon i'w weld o hyd, yn brawf o'r enw anghyffredin. Pwy fyddai byth yn dyfalu'r fath esboniad?

Diolch am enwau sydd wedi byw cyhyd ar dafod leferydd pobl cefn gwlad, a diolch i'r bonheddwr o'r Brynddu am brydferthu'i ddyddiadur ag enwau caeau ei fferm a'i stad.

Bywyd Gŵr Bonheddig – Gwasg Gwynedd, 2002.

[Dyfynnir yma ran o'r portread o William Davies, Cemlyn – gweinidog Salem a Cemlyn, ger Cemais, dwy o eglwysi Methodistaidd lleiaf Ynys Môn. Bu William Davies yn weinidog arnynt o 1922 hyd 1955.]

Yr oedd stori ddoniol ynghlwm wrth bob taith bron a wnâi William Davies ar ei foto beic. Yr un fu'r hanes pan newidiodd y moto beic am Austin 7. Dywedodd un a gofia'r perfformiadau hefo'r car mai'r unig beth a wyddai William Davies am yrru oedd ym mha sedd y dylai eistedd. Fe gâi ddigon o drafferth i fynd yn ei flaen, heb sôn am droi'n ôl, a theithiodd filltiroedd yn gylchoedd o'r herwydd.

Cyn cychwyn adref wedi oedfa byddai'n gofyn i fechgyn ifanc yr oedfa, 'Pwy sydd am droi pen y ceffyl am adra imi heno? Wil Ty'n Cae fyddai'r certmon fel arfer. Wedi troi'n ôl byddai Wil yn parcio'r car yn glòs, glòs wrth wal gerrig wrth y capel gan droi'r olwynion blaen i

175

gyfeiriad y wal. Wedi tanio, rhoddai William ei droed yn drwm ar y sbardun ac yna, yn ddirybudd, gollyngai'r clytsh a hyrddiai'r Austin druan ymlaen i'r wal gerrig, gan greu bwlch a gwasgaru cerrig hyd y ffordd.

Wedi'r oedfa yn Rhosbeiro un nos Sul, gwrthodai'r cerbyd â thanio, ac ni fyddai byth brinder mecanics mewn oedfa yn yr oes honno. Mae'n debyg mai Roger Jones, Felin Wen, oedd y mecanic yn Rhosbeiro, ac ef a gymerodd achos y pregethwr mewn llaw y nos Sul honno. Sythai Rog, gan dynnu ei gôt a thorchi ei lewys. 'Agorwch ei geg,' meddai, fel deintydd. Yn sicr, Roger oedd y mwyaf gwreiddiol ohonynt i gyd ac fe wyddai William Davies hynny'n iawn. Cafodd y mecanic fenthyg fflachlamp o eiddo un o'r addolwyr ac yng ngolau egwan honno y bustachodd Rog dan ei ddwylo. Safai'r gynulleidfa'n fud, yn gylch am yr Austin 7, gan ddal eu gwynt rhag i Rog druan gael achos i ffrwydro. Toc, dyma'r mecanic yn tynnu'i hun o geubal y moto a bagio'n ôl yn ei siwt dydd Sul. 'Trïwch o rŵan, Mr Davies,' meddai. Aeth y pregethwr i sedd y gyrrwr a chyn dim, dyna dân a phawb yn falch. Agorodd William Davies y ffenestr a brathu'i big allan i ofyn, 'Beth ydi'r gost, Roger Jones?' Mewn ysbryd yr un mor gellweirus, wedi ystyried peth, 'Chweugain i chi, Mr Davies,' meddai Rog. 'Wel,' meddai Davies, 'mae yna ryw sôn am "dalu eto".' Aeth Rog â'r drafodaeth gam ymhellach gan ddangos ei ddwylo seimllyd, budron i berchennog yr Austin 7 a gofyn yn ddifrifol, 'Beth wna i hefo'r rhain?' 'Wel, mynd â nhw hefo chi, debyg,' meddai'r gweinidog a diflannu drwy'r gwyll! Fe dystiai saint Rhosbeiro fod 'wedi'r oedfa' yn well na'r oedfa ei hun, yn enwedig os digwyddai i Roger, y Felin Wen, fod yno!

Pregethwrs Môn – Gwasg Gwynedd, 2003.

Sylweddolodd y Canon Foulkes-Jones – gŵr ecsentrig, gwahanol i bawb – fod gan Wil [Wil Ty'n Pwll, Llanfair-yng-Nghornwy] gymhwyster arbennig i drin cerrig, a galwai arno'n gyson. Daeth ato ryw ganol bore rhewllyd oer, a Wil druan yn nannedd y dwyrain. Yn sbecian o boced top côt y Canon roedd potel fawr, a gwydryn bach rhwng bys a bawd ei law dde. Cyfarchodd Wil yn iaith Trefaldwyn, gyda chlytiau o Saesneg ag acen Rhydychen.

'Basa ti lecio rhwbath i dy warm you up, Willie?'

Atebodd Wil, cyn codi ei ben, yn iaith Sir Fôn,

'Diolch yn fawr, Can— . . . Syr' – ac yfodd y gwydryn o wisgi heb ei lastwreiddio.

Yn ei syndod, gofynnodd y Canon wedyn,

'Cymeri di tipyn bach – just a drop eto, Wil?' A rhag iddo wagio'r botel, dyma'r person yn sibrwd wrth y waliwr,

'It could be a nail in your coffin, man.'

'Wel,' meddai Wil, 'gan fod y twls yn ei llaw, tarwch hoelan arall.'

Bu Wil yn gryn gyfaill i'r Parch. Lambert Jones a ddaeth i'r Santes Fair yn ddiweddarach. Er mwyn hwyluso'i waith yn y plwyf gwasgarog ac anghysbell, fe brynodd hwnnw foto-beic ail-law gan Doctor Edwards, Bodedern. Yr oedd un gwendid anffodus yn y moto-beic – byddai'n gyndyn ddychrynllyd o danio – rheswm da dros ei werthu. Gwelid y person a'r moto-beic yn cydgerdded yn llafurus hyd ffyrdd y plwyf ac ar un o'r amgylchiadau hyn cyfarfu â Wil, a holodd yn obeithiol,

'Ydach chi'n deall rhywbeth am foto-beics, William Rowlands?'

'Mi ddweda i wrtho chi beth fyddai'r doctor yn ei wneud pan fyddai'r moto-beic wedi nogio fel hyn – mi fyddai'n cicdanio am bwl ac yna rhegi am bwl, a chydrhwng y cicio a'r rhegi mi fyddai'n siŵr o danio,' meddai Wil.

Safai'r gŵr parchedig yn fud, ond cyn pen dim fe ddaeth gwawr.

'Os leciwch chi,' medda Wil yn gymwynasgar, 'ciciwch chi ac mi rega inna!'

Cymeriadau Môn – Gwasg Gwynedd, 2004.